505
L

下巻のはじめに

1960（昭和35）年に生まれ、高校卒業までを姫路で過ごした筆者にとって、関東鉄道筑波線は遠かった。路線長が20kmに満たないローカル私鉄の訪問を繰り返していた筆者にとって関東鉄道は、富山地方鉄道、伊予鉄道、長野電鉄と同じく大私鉄で、その筑波線は荷台付きや旧北海道の運炭鉄道の個性的な気動車が走っているとはいえ、もっと個性的で魅力的な路線はいくつもあった。そんなこともあって初訪問は大学生になってからで、その後の訪問ペースも少なかった。

ただ、２度目に訪れた1981（昭和56）年12月５日にたまたま筑波駅構内で部品即売会のようなことをやっていて、当時の在籍車両の車両竣工図表を購入することができ、本書の資料となっている。関西を生活の基盤としている筆者が、その名も関東鉄道について語ることには違和感を禁じ得ないが、自身が訪れたローカル私鉄（その後に廃止）の中で本シリーズにおいて刊行されていない筑波鉄道に思いが募り、本書の執筆に至った。

2020～2021年はまさに新型コロナウイルス

筑波山から見下ろす広大な関東平野の片隅を筑波鉄道の気動車が行く。先頭は旧国鉄キハ41000系列、次位はキサハ50、後尾は旧国鉄キハ40000系列のキハ311と思われる。
1970.4.6　常陸北条―筑波　P：西村雅幸

の感染拡大で自粛と移動の制限が強要され、国立公文書館も閉館を余儀なくされる日々が続いた。そんななか合間を見つけて訪問を行い、本書の発行に至った。

常総筑波鉄道については、『私鉄車両めぐり』に詳細な記述があり、概ねの沿革と車両の推移を追うことができるのだが、貨車については「在籍車両の車番の記載にとどめ、説明は省略」で、車番だけでは推移がつかめない。『関東鉄道株式会社七十周年史』は、経営的な推移はかなり詳細に記述されているが、車両についてはほとんど記述されていない。そんななか、国立公文書館に残る許認可関係資料で、少しはその「間」を埋められたかとは自負する。ただし、関東鉄道となってからは線区の異動は社内の異動になってしまい、その記録はあやふやな部分が見られる。

時代が進み、筑波鉄道および筑波線についての考察を深めることはより困難になると思われるので、現時点で可能な限りの考察を試み、まとめたつもりである。

土浦駅は国鉄駅構内の一部を間借りするような配置であるため、駅舎は国鉄と共通であった。
1971.4.7　P：荻原二郎

第3章　施設・駅

1. 保安方式

開業時の保安方式は全線票券式で、1957(昭和32)年度に真鍋～筑波間が、1960(昭和35)年度に筑波～岩瀬間が通票閉塞式に改められた。単線自動閉塞化は筑波～岩瀬間が1969(昭和44)年11月5日、土浦～筑波間が1970(昭和45)年10月1日であった。

2. 停車場・停留場

※駅名の次の数値は乗降客数で、昭和52～54年度のいずれかの年度の一日平均。

■土浦《つちうら》　2,647人　駅中心：起点0km000m

1918(大正7)年4月17日に開業した。国鉄駅に乗り入れる線形で、最晩年は機回し線のような側線を有していた。1981(昭和56)年8月12日の貨物営業廃止に伴って旅客駅となった。

■真鍋《まなべ》　駅中心：起点1km514m5

1918(大正7)年4月17日に開業した。開業時から車庫所在地で、運輸部門の中心駅であった。1919(大正8)年6月30日届出で機関庫事務所、鍛冶工場が新設された。1920(大正9)年6月14日建造物新設及増設届で貨物庫上家一棟が新設され、石炭台、ピットが新設され、機関庫内ピットが増設された。

1920年6月12日新設届で列車電燈充電のために構内に充電所一棟が新設され、1920年12月28日竣工届で貯炭場新設、本屋事務室模様替、転轍手詰所が新設された。1922(大正11)年12月30日届で側線を増設し、役宅を新築し、倉庫と事務室を増築した。

1925(大正14)年9月12日届で側線一部延長、貨物線増設、場内信号機2基新設・旧信号機撤廃、貯炭場縮小、乗降場一部増築がなされた。1928(昭和3)年12月30日届出でポイント番小屋新設、役宅が増築された。

1959(昭和34)年7月1日に0.2km岩瀬方に新土浦停留場が開設されると貨物駅となり、1981(昭和56)年8月12日に貨物営業が廃止されると信号場となったが、その後も木造駅舎は姿を留めていた。

土浦駅1番線ホームが筑波鉄道発着線であった。土浦駅舎は1983年に駅ビルとして建て替えられた。　1986.2　P：山本高英

真鍋駅構内に設けられていた機関庫。真鍋駅の旅客営業廃止後も機関庫は継続使用された。車両は左よりキハ461、キハ505、キハ762。
1987.2.21　P：荻原俊夫

真鍋駅に代わり土浦の市街地に新設された新土浦駅。左が土浦方のメインの改札、右が虫掛方の改札で、後者には「係員配置時間 朝7時より朝９時まで（乗車券の発売は致しません）」の掲示が見える。　1971.4.7　P：荻原二郎

■新土浦《しんつちうら》　952人　駅中心：起点1km729m

1959(昭和34)年７月１日に真鍋駅の旅客取り扱いを分離する形で新設された停留場。カーブを描く線路に、土浦を背にして左側にホームが設けられた。土浦の市街地の中に位置し、乗降客は多かった。営業最終日まで駅員配置であった。

■虫掛《むしかけ》　99人　駅中心：起点3km915m1

開業に合わせて1918(大正７)年４月17日に開設された。1923(大正12)年６月30日届出で場内信号機を新設。最晩年まで行違い可能駅で、列車交換が見られた。入母屋造り風の差し掛けを持つ木造駅舎を有したが、晩年は撤去され、駅舎はなかった。

■坂田《さかた》　42人　駅中心：起点5km842m8

1955(昭和30)年10月１日に開設された停留場。終始駅員無配置停留場であった。集落の中に位置し、利用客はそれなりにあった。ホーム中央に小さな待合室があり、その部分は通行幅が狭かった。

行違いが可能な虫掛駅。さようならヘッドマークを掲げた上り土浦行のキハ503が停車中。　1987.3.30　P：荻原二郎

筑波鉄道内ではよく見掛けた入母屋造り風の差し掛けを持っていた虫掛駅舎。手前が土浦方。　1971.4.7　P：荻原二郎

木造の虫掛駅舎は晩年には解体され、この継電室が残されていた。　1987.3.1　P：元木史昭

終始単式ホームの停留場であった坂田駅。手前が土浦方。　1987.3.1　P：元木史昭

交換可能な常陸藤沢駅構内。最晩年に国鉄より入線したキハ301土浦方面行が停車中。　1987.3.24　P：荻原俊夫

■常陸藤沢《ひたちふじさわ》　261人　駅中心：起点7km648m5

開業に合わせて1918（大正７）年４月17日に開設された。1920（大正９）年６月14日建造物新設及増設届で貨物庫上家一棟が新設され、1920年12月28日竣工届で線路工夫詰所が新設された。

1923（大正12）年６月30日届で転轍手詰所を新設。1924（大正13）年４月５日届出で臨時貨物側線を増設し、1925（大正14）年３月31日まで土砂の運搬を行った。1928（昭和３）年６月29日届出で長大列車の行き違いに合わせて側線を延長した。

虫掛駅舎ともよく似た木造の常陸藤沢駅舎。この時代は屋根上に駅名表示が掲げられている。　1975.1.3　P：藤本哲男

晩年期の常陸藤沢駅。新治村・筑波線存続対策協議会の「みんなで乗ろう筑波線」と書かれた看板が立つ。　1987.3.1　P：元木史昭

1970（昭和45）年10月に駅務を委託化した。貨物営業廃止は1981（昭和56）年８月12日であったが、以前から貨車の到着・発送は無くなっていた。

■田土部《たどべ》　153人　駅中心：起点9km877m6

1937（昭和12）年７月26日停留場新設認可申請で内燃動車のみが停車する停留場として開設されたもので、土浦起点9km680m41であった。

戦時中は廃止されたが、1950（昭和25）年２月17日に新設された。1950（昭和25）年１月28日の田土部停留場新設届には次の理由書が添えられている。

理由書

本停留場ハ筑波線常陸藤澤ヨリ二粁一〇〇米常陸小田ヨリ三粁三〇〇米地点ニ位シ別紙図面ノ如ク斗利出村田土部、栗原村栗原、小田村大形、下大島ノ部落ニ対シ最短距離ニシテ現在常陸小田駅或ハ常陸藤沢駅ノ遠距離マデ悪路ヲ迂回セザレバ乗車不能ノタメ各部落民ノ要請モアリ且弊社モ旅客ノ誘致ヲナシ増収ヲ計ルベク本停留場ヲ設置シ一般旅客ノミ取扱ヒヲ致シマス

終始駅員無配置であった。

常総筑波鉄道時代の田土部駅。単式ホームの停留場である。右が岩瀬方。　1963.4.26　P：荻原二郎

常陸小田に入線する、国鉄水戸線直通小山行のキハ800形２連。小山直通は1965年に廃止された。
1963.4.26　P：荻原二郎

■常陸小田《ひたちおだ》　589人

駅中心：起点12km963m1

1915(大正４)年２月１日の工事施工認可時には存在しなかったが、沿線住民から要望があり調査の結果、旅客・貨物ともに利用が見込まれることから1917(大正６)年１月23日申請・１月26日認可にて追加で設けることになった。土浦～筑波間の開業に合わせて1918(大正７)年４月17日に開設された。

開業時から停車場であったが、1919(大正８)年９月12日届で向待合室を設けて行き違い可能駅となった。1920(大正９)年６月14日建造物新設及増設届で貨物庫上家一棟が新設された。

1970(昭和45)年10月に駅務を委託化した。貨物営業廃止は1981(昭和56)年８月12日であったが、それ以前から貨車の到着・発送はなくなっていた。

うっそうとした木々に囲まれた常陸小田駅。筑波鉄道標準の入母屋風の屋根を持つ。
1987.3.1　P：元木史昭

■常陸北条《ひたちほうじょう》　1,963人　駅中心：起点15km721m

開業に合わせて1918(大正７)年４月17日に開設された。1920(大正９)年６月14日建造物新設及増設届で貨物庫上家一棟が新設され、1920年12月28日竣工届で本屋事務室模様替、線路工夫詰所と転轍手詰所が新設された。1922(大正11)年12月30日届で側線を増設した。貨物営業廃止は1981(昭和56)年８月12日であったが、それ以前から貨車の到着・発送はなくなっていた。旧筑波町の中心に近く、乗降客は多かった。

大柄な木造駅舎が存在した常陸北条駅。
1987.3.24　P：荻原俊夫

常陸北条駅全景。上下交換が可能であるほか貨物側線を備える。手前が土浦方。
1987.3.14　P：風間克美

1967年に改築される前の、木造駅舎時代の筑波駅。中央に臨時出札所が設置されているのが見える。
1966.3.20　P：荻原二郎

鉄筋コンクリート製駅舎に改築後の筑波駅。駅舎は現在も筑波山口バスターミナルとして使用されている。
1981.1.25　P：寺田裕一

■筑波《つくば》　1,086人　駅中心：起点20km155m73

開業に合わせて1918(大正７)年４月17日に開設された。1920(大正９)年６月14日建造物新設及増設届で貨物庫上家一棟が新設され、1920年12月28日竣工届で貨物積卸場が増設された。1923(大正12)年６月30日届で転轍手詰所を新設した。

1923(大正12)年12月31日には鉄道省上野駅と当駅の間に直通列車を運転する場合において乗降場が狭隘であることから、増築する届出が出された。1926(大正15)年６月29日届出で待合室が増築され、1930(昭和５)年６月30日届出で木造であった旅客乗降場と貨物積卸場の擁壁をコンクリートに改めた。

1960(昭和35)年度に構内踏切が新設され、鉄筋コンクリート製の近代的な駅舎は1967(昭和42)年５月18日から使用を開始した。貨物営業廃止は1981(昭和56)年８月12日であった。

筑波鉄道では標準的な木造駅舎を持つ上大島駅。
1986.2　P：山本高英

２面３線のホームを持つ筑波駅構内。鉄骨造のホーム上屋が筑波線には珍しい。手前が岩瀬方。
1987.3.22　P：風間克美

■上大島《かみおおしま》　460人　駅中心：起点22km844m

1915(大正４)年２月１日に工事施工認可時には椎尾停車場として計画された。1917(大正６)年１月23日申請で椎尾～真壁間に紫尾停車場を追加で設けることになり、その際、椎尾と紫尾では紛らわしいことから大島に改称すべく申請したところ、大島はすでに存在する(唐津線大島駅と思われる)ことから冠を付すよう指導が入り、上大島として１月30日に届け出た。

筑波～真壁間の開業に合わせて1918(大正７)年６月７日に上大島として開設された。1920(大正９)年６月14日建造物新設及増設届で貨物庫上家一棟が新設された。1923(大正12)年６月30日届で転轍手詰所を新設。1970(昭和45)年２月に駅務を委託化した。

相対式ホームに貨物側線、模型のワンシーンを見るような上大島駅。手前が土浦方。
1986.2　P：山本高英

酒寄駅は単式ホームの停留場。手前が土浦方。
1987.3.8　P：元木史昭

標準的な木造駅舎を持つ紫尾駅。　1987.3.8　P：元木史昭

■酒寄《さかより》　149人　駅中心：起点23km776m

1959(昭和34) 年７月１日に新設された停留場。終始無人停留場であった。

■紫尾《しいお》　410人　駅中心：起点26km867m63

1915(大正４) 年２月１日の工事施工認可時には存在しなかったが、沿線住民から要望があり調査の結果、旅客・貨物ともに利用が見込まれることから1917(大正６) 年１月23日申請・１月26日認可にて追加で設けることになった。筑波～真壁間の開業に合わせて1918(大正７)年６月７日に開設された。

1920(大正９) 年６月14日建造物新設及増設届で貨物庫上家一棟が新設された。1922(大正11) 年12月30日届で側線を増設し、向乗降場を新設した。1923(大正12) 年６月30日届出で場内信号機を新設。1969(昭和44) 年11月26日に駅務を委託化した。営業廃止時まで行き違い可能駅であったが、最晩年の通常は行き違いが無かった。

紫尾駅舎の線路側。相対式ホームの２面２線で、手前が土浦方。
1986.2　P：山本高英

■常陸桃山《ひたちももやま》　214人　駅中心：起点28km201m

1937(昭和12) 年７月26日停留場新設認可申請で内燃動車のみが停車する伊佐々停留場として開設され、土浦起点28km384m805であった。戦時中に廃止されたのち、1957(昭和32) 年12月14日に常陸桃山として復活した。終始駅員無配置停留場であった。

大きな待合室を持つ常陸桃山駅と雄別鉄道から譲渡されたキハ762。手前が岩瀬方。
1987.3.24　P：荻原俊夫

堂々たる木造駅舎が好ましい真壁駅。　1987.3.8　P：元木史昭

真壁駅にキハ503の単行が停車中。手前が岩瀬方。
1987.3.24　P：荻原俊夫

相対式ホームを持つ交換可能な真壁駅。手前が土浦方。
1987.3.8　P：風間克美

■真壁《まかべ》　1,064人　駅中心：起点30km190m42

筑波～真壁間の開業に合わせて1918(大正７)年６月７日に開設された。1915(大正４)年２月１日の工事施工認可時には中間駅の予定であったが、1918年６月７日の部分開業で終点となることから、1918年６月６日届で構内に仮給水器が設置された。この給水器に関しては、1918年11月５日届出で岩瀬駅構内給水器の予備として恒久使用することとなった。

1919年６月30日届出で、岩瀬の機関庫は撤廃され、その機能が真壁に移された。従前終列車の牽引機を岩瀬で留置していたものを、留置場所を真壁に変更したための措置であった。貨物線，機関庫線、ピット、石炭台が新設された。

1920(大正９)年６月14日建造物新設及増設届で貨物庫上家一棟が新設され、1920年12月28日竣工届で本屋事務室模様替、線路工夫詰所と転轍手詰所が新設され、貨物積卸場及貨物線が増設された。1922(大正11)年６月30日届で構内一部埋立及び貨物線の延長がなされた。1922年12月30日届で乗務員合宿所を新設した。1926(大正15)年12月25日届出で本屋と乗務員役宅が増築された。営業最終日まで駅員配置駅で、夜間は５個列車が停泊した。

■樺穂《かばほ》　362人　駅中心：起点32km111m82

1921(大正10)年４月26日停車場新設認可申請で1922(大正11)年３月20日に開業した停車場。新設理由としては、関係町村の希望によると記されているが、加波山の採石場からの石材搬出のためにできた。樺穂興業株式会社による軌間610mm(２フィート)のトロッコは1923(大正12)年８月28日に山元から樺穂駅までの2.84kmが開業し、片勾配を利用して人力で輸送した。このトロッコは1937(昭和12)年11月20日にさらに0.8km延長の特許を受け、全長は3.7kmとなった。驚くことに戦後まで営業は続き、廃止日は1954(昭和29)年９月30日であった。

1925(大正14)年12月30日届出で貨物側線が増設され、1928(昭和３)年12月24日届出で貨物積卸設備が増築された。1958(昭和33)年度にスプリングポイントが導入された。1969(昭和44)年11月26日に駅務を委託化した。最晩年まで行違い可能駅で、列車交換が見られた。

相対式ホームの樺穂駅で交換するキハ761とキハ504。手前が土浦方。
1986.2　P：山本高英

単式ホームの停留場である東飯田駅。手前が岩瀬方。
1987.3.8　P：元木史昭

木造駅舎を持つ雨引駅。　1987.3.8　P：元木史昭

2面2線の相対式ホームを持つ雨引駅構内。手前が土浦方。
1986.2　P：山本高英

■東飯田《ひがしいいだ》　295人 駅中心：起点34km340m

1960(昭和35)年12月23日に新設された停留場。終始駅員無配置停留場であった。

■雨引《あまびき》　344人　駅中心：起点35km453m46

真壁～岩瀬間開業に合わせて1918(大正７)年９月７日に開設された停車場。1920(大正９)年６月14日建造物新設及増設届で貨物庫上家一棟が新設された。1925(大正14)年12月30日届出で場内信号機が建設された。

1926(大正15)年12月25日届出で貨物線が増設され、側線が延長された。1958(昭和33)年度にスプリングポイントが導入された。1970(昭和45)年11月に駅務を委託化した。最晩年まで行違い可能駅で、列車交換が見られた。

■岩瀬《いわせ》　1,426人　駅中心：起点40km160m05

真壁～岩瀬間開業に合わせて1918(大正７)年９月７日に開設された停車場。鉄道院線との連絡跨線橋は未竣工のまま開業を迎えたが、1918年10月31日に跨線橋は竣工した。側線、機関車庫、給水器、石炭台を有したが、1919(大正８)年６月30日届出で、岩瀬の機関庫は撤廃され、その機能が真壁に移された。従前終列車の牽引機を岩瀬で留置していたものを、留置場所を真壁に変更したための措置であった。

1926(大正15)年６月29日届出で貨物倉庫が新築された。土浦もそうであったが、ターミナル駅というよりは間借りして乗り入れているという雰囲気であった。

上記各駅のほか、常陸北條～筑波間に常陸大貫駅がわずかな期間設けられていた。これは1937(昭和12)年７月26日停留場新設認可申請で内燃動車のみが停車する停留場として開設され、土浦起点18km89m72であった。戦時中に廃止され、戦後に復活することはなかった。

国鉄と共同使用されていた岩瀬駅舎の1960年代の姿。驚くべきことに現在でもこの駅舎が改築を重ねて使用されている。
1963.4.26　P：荻原二郎

国鉄水戸線ホームに隣接していた岩瀬駅。
1987.3.8　P：元木史昭

筑波鉄道９号。川崎造船所製(1923年)の40ｔ、1C1形タンク機。もと南武鉄道12号(←長野電鉄)で、国鉄に買収とともに3015形3015号となる。国鉄時代は田端区の入換仕業を最後に、1949年に筑波鉄道に譲渡。　1952-8-10　真鍋　P：柴田重利(所蔵：宮田寛之)

3. 車両

初代筑波鉄道時代は、許認可書類から車両の動きを把握できるが、戦時中に常総筑波鉄道に合併されて常総筑波鉄道筑波線となると、常総線と筑波線の異動は許認可を伴わない社内での異動となる。当初は所属線区が指定されていて、キホハ51形52は1950(昭和25)年８月28日車両使用区間変更認可申請で常総線から筑波線に異動をしているが、その後は所属線区を全線とすることで、異動時の届出を不要としている。1965(昭和40)年に鹿島参宮鉄道と合併して関東鉄道になるに至っては、異動線区が広がり、正確な把握は困難となった。

『レイル』No.19の湯口　徹氏のお言葉を借りると。

「さらには昭和40年６月１日の関東鉄道成立後は鉾田、竜ケ崎まで範囲が拡がっての車輛の移動、それも行きっ放しはよいが、出たり戻ったり、また出たり､､､の繰り返しのあとづけは、煩雑を通りこし、いささかつき合いかねる感すらある。常総線が東京への通勤圏となって水海道以南の乗客が激増し、小型、旧型車を他線に転出させ、大型車を集めた影響である。また昭和44年からあいついで廃止された非電化私鉄からの転入気動車で、茨城交通湊線、関東鉄道鉾田、筑波、竜ヶ崎線がほぼ根こそぎ入れ替えられたといえる。言葉を変えれば、これら各線の近代化がそれだけ遅れていたことにもなるのである。」

開業当初の螺旋連環連結器から自動連結器取付工事施工(二47と二48を除く)は1925(大正14)年９月17日で、記録上は一日で取り換えたことになっている。

■車両数の推移(大正７年～昭和18年)

		機関車		客車											有蓋貨車			無蓋貨車			
				両数(両)							定員(人)										
		両	t	1等	2等	2・3等	3等	ガソリンカー	手小荷物	計	1等	2等	3等	計	8t積	10t積	合計総t数	8t積	10t積	15t積	合計総t数
1918	大7	3	107	1	11	1	4	－	4	21	20	274	230	524	－	－	－	10	－	－	80
1919	大8	1 3	31 108	1	11	1	4	－	4	21	10	274	230	514	－	－	－	10	－	－	80
1920	大9	1 3	30 108	－	4	－	13	－	4	21	－	94	598	692	－	5	50	10	15	－	230
1921	大10	1 3	30 108	－	4	－	13	－	4	21	－	94	598	692	4	5	82	－	25	20	550
1922	大11	1 3	30 108	－	4	－	13	－	4	21	－	94	598	692	4	5	82	－	25	20	550
1923	大12	1 4	30 150	－	5	－	13	－	4	21	－	94	598	692	4	5	82	－	25	20	550
1924	大13	1 3	30 126	－	4	－	13	－	4	21	－	94	598	692	4	5	82	－	25	20	550
1925	大14	1 4	30 168	－	4.5	－	17.5	－	4	26	－	110	878	988	4	5	82	－	25	20	550
1926	大15	1 5	30 212	－	5.5	－	17.5	－	6	29	－	142	1138	1280	4	5	82	－	25	20	550
1927	昭2	1 5	30 215	－	6	－	20	－	6	32	－	158	1418	1576	2	5	67	－	25	20	559
1928	昭3	1 5	30 215	－	4	4	14	－	6	28	－	478	922	1400	2	5	67	－	25	20	559
1929	昭4	1 5	30 212	－	4	4	14	－	6	28	－	160	1242	1402	1	5	58	－	25	20	550
1930	昭5	1 5	30 212	－	4	4	14	－	6	28	－	160	1242	1402	1	5	58	－	25	20	550
1931	昭6	6	248	－	4	4	14	－	6	28	－	160	1242	1402	1	5	58	－	25	20	550
1932	昭7	1 5	31 217	－	4	4	14	－	6	28	－	160	1242	1402	1	5	58	－	25	20	550
1933	昭8	6	248	－	4	4	14	－	6	28	－	160	1242	1402	1	5	58	－	25	20	550
1934	昭9	6	248	－	4	4	14	－	6	28	－	160	1242	1402	1	5	58	－	25	20	550
1935	昭10	1 5	31 217	－	4	4	14	－	6	28	－	160	1242	1402	1	5	58	－	25	20	550
1936	昭11	1 5	31 217	－	4	4	14	－	6	28	－	160	1242	1402	1	5	58	－	25	20	550
1937	昭12	1 5	31 217	－	4	4	10	3	4	25	－	160	1282	1442	1	5	58	－	25	20	550
1938	昭13	4	174	－	－	4	5	3	3	15	－	64	1060	1124	1	5	58	－	25	20	550
1939	昭14	3	130	－	－	1°	4	3	1	9	－	－	640	640	1	5	58	－	25	20	550
1940	昭15	3	130	－	－	1°	4	3	1	9	－	－	640	640	1	5	58	－	25	20	550
1941	昭16	3	130	－	－	1°	4	3	1	9	－	－	640	640	1	5	58	－	25	14	460
1942	昭17	3	130	－	－	1°	4	3	1	9	－	－	640	640	1	5	58	－	25	14	460
1943	昭18	3	130	－	－	1°	4	3	1	9	－	－	700	700	1	5	58	－	25	14	460

※２・３等客車両数欄1939～1943年の「1°」は３等荷物合造車。

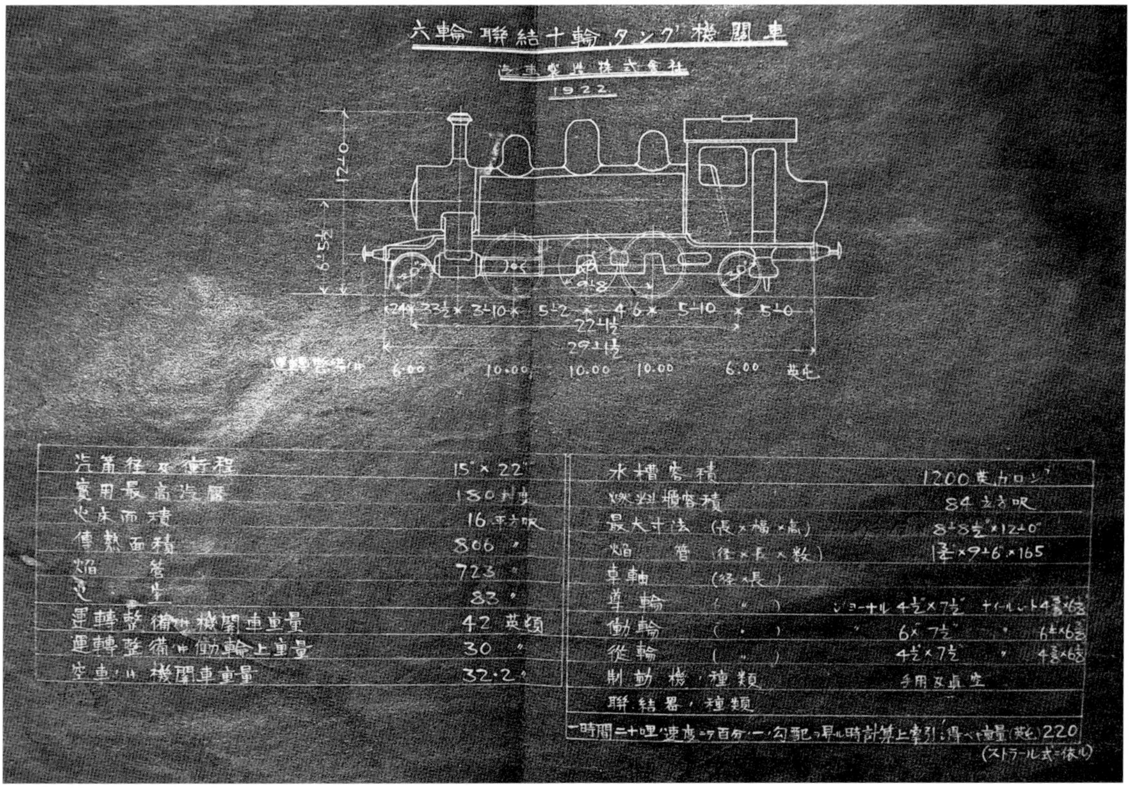

■車両竣工図表　六輪連結十輪タンク機関車５号機　汽車製造株式会社

(1) 蒸気機関車

筑波鉄道→常総筑波鉄道筑波線に在籍した蒸気機関車は10両であった。

●1～3号

鉄道院450形450～452の３両で、1917(大正６)年７月４日(450と451)と同年７月28日(452)に車籍削除のものを1918(大正７)年３月14日使用認可申請で購入した。紀和鉄道(現在のJR和歌山線)が開業に備えて1897(明治30)年に米国ブルックスに発注した1B1タンク式機関車で、A1形として４両が発注されたが１号はキャンセルされて讃岐鉄道に転じ、残りの２～４号の番号が詰められて１～３号となり、後に１号が讃岐鉄道から紀和鉄道に戻って４号となった。

1904(明治37)年８月に紀和鉄道は関西鉄道に合併されて、紀和A1形は関西鉄道形式82「友鶴」82～85となった。1907(明治40)年10月１日に関西鉄道が国有化されると450形450～453となり、城東線(現在の大阪環状線の一部)で使用された。

筑波鉄道開業時は唯一の機関車で混合列車の牽引にあたったが、調子は芳しくなかったようで、大規模修理の記録が残る。１・２・３号機の下取りとしての汽車會社への売却は1924(大正13)年６月30日付けであったが、一時期、機関車不足から１号機を借り入れた記録が公文書館書類に残っている。

３号機は胆振鉄道１となったのち喜茂別の日鉄鉱業専用線で1955(昭和30)年頃まで使用された。

●4号

1919(大正８)年３月15日機関車使用認可申請で鉄道院四輪連結テンダー機関車5490形5491を譲り受けたもの。5491は1882(明治15)年に官鉄が輸入して新橋工場で組み立てた2B形のタンク式機関車28で、1884年に神戸工場でテンダー式に大改造ののち1909年10月１日に5491に改番された。鉄道院での廃車は1919年３月９日。機関車不足から購入したのが当機で、古典機であったため５～９号機導入後は予備機となったが、ガソリンカーキハ301～303導入後の1938(昭和13)年１月20日廃車まで車籍があった。

●5～8号

1922(大正11)年７月５日機関車購入許可申請・10月５日認可で1C1形六輪連結十輪タンク式機関車５号機(運転整備重量42t)が汽車製造で新造され、1923(大正12)年２月１日に竣工した。

真鍋の機関庫に眠る蒸気機関車７号機。1924（大正13）年の新造だが、予備機として1964（昭和39）年まで在籍していた。
1962.3.31　真鍋　P：風間克美

６号機と７号機は1923年７月12日機関車購入許可申請で、６号機は1924（大正13）年６月19日増加届、７号機は1924年７月10日新造届で竣工した。これらは１・２・３号機を汽車製造に売却し、その代用品としての調達であった。

８号機は運転整備重量44tとなって1925（大正14）年１月９日機関車設計変更認可で増備した。

1935（昭和10）年１月15日届出で６号機は鉄道省大宮工場で真空制動機を蒸気制動機に改造して手用制動機と併用、同様の改造を５号機も1935年５月15日届出で実施した。

５号機は、ガソリンカー導入後の1938（昭和13）年１月20日に廃車となり、同年11月に胆振鉄道に譲渡、胆振鉄道時代に５から３に改番、胆振鉄道が1944（昭和19）年７月１日に国有化されると3425に、1949（昭和24）年度に国鉄廃車となった。

６～８号機は戦時中も混合列車の牽引に活躍したが、1951（昭和26）年に気動車が増備されて旅客列車の多くが内燃動車となり、混合列車の本数が減ったころ、1952（昭和27）年に６号と８号は廃車となった。

７号は1955（昭和30）年に内燃機関車が２両となった時点でも廃車を免れ予備機として残ったが、1963（昭和38）年に廃車となった。鉄道統計年報の蒸気機関車在籍数は1962年度末が１、1963年度末が０。上巻２～３頁の７号は除籍後の姿と思われる。

●９号

９号機は1925（大正14）年11月２日機関車購入認可申請・12月26日認可で1926（大正15）年６月30日に竣工した。ガソリンカー導入後の1938（昭和13）年12月28日届出で夕張鉄道に転じた。

夕張鉄道９号は1940（昭和15）年４月11日に定山渓鉄道に貸し出され、1941（昭和16）年１月23日に戻った。1942（昭和17）年３月23日認可で天塩鉄道に転じ、1964（昭和39）年度廃車まで車籍があった。

●3075→９号（二代）

戦時中に燃料が欠乏すると内燃動車の稼働が困難になり、いきなり蒸気機関車の需要が高まった。そんななか1948（昭和23）年11月15日譲受認可申請で3075を国鉄から89,591円で購入した。以上は書類上の話で、実機は3015形3015であった。

1923（大正12）年10月川崎重工業兵庫工場製の製番967、河東鉄道12号として誕生し、1927（昭和２）年２月に南武鉄道に譲渡されて12、1944（昭和19）年４月１日の国有化で仮133、1947（昭和22）年３月１日の改番で3015、1950（昭和25）年１月１日国鉄廃車。最終所属は田端であったが、実際上の最終所属は矢向であった。3015が3075と入れ替わった理由は不明だが、手続の際の書き間違い、3075の現車調査が思わしくなく状態の良い3015に振り替えたなどが考えられる。

1950（昭和25）年５月９日番号変更届で９号に改番した。その理由としては「他の所属機６・７・８号と番号を揃えるを便とするため」とある。終始予備機であったようで、1955（昭和30）年に内燃機関車が２両となった時点で廃車となった。

（2）内燃機関車

常総筑波鉄道筑波線→関東鉄道筑波線→筑波鉄道を通じて在籍した内燃機関車は４両であった。

●DC201

蒸気機関車の置き換えのため1953（昭和28）年３月

内燃機関車DC201。1953（昭和28）年製のL型機で、ボンネット逆側にも小さな機器室がある。
1966.3.20　岩瀬
P：荻原二郎

５日に認可申請、常総筑波鉄道としてはDB11に続いて２両目の内燃機関車であった。1953年８月新三菱重工業三原製作所製のL形機（製番780）で、運転整備重量20.7t、機関は新三菱DE4（220PS）×１基搭載、伝達装置は機械式であった。L形ではあったが、ボンネット部の反対側にもごく小さな機器室があった。

筑波線で貨物列車の牽引に活躍したが、関東鉄道になってからの1969（昭和44）年６月13日に竜ケ崎線に転じ、竜ケ崎線の貨物廃止で失業した。その後も保線用として車籍が残っていたが、1974（昭和49）年３月20日に廃車となった。

●DC202

1955（昭和30）年６月新三菱重工業三原製作所製のL形機（製番866）。運転整備重量25.0tでDC201の続番になっているが、性能は異なる。機関は新三菱DE型（280PS）で若干パワーアップし、動力伝達装置も液体継手に変わっている。筑波線の貨物輸送量は昭和30年代において年間８万t前後で、当機でもこなすことができた。

DD501が常総線から転じると予備機となり、晩年は真鍋機関区で休んでいた。1981（昭和56）年11月30日に廃車となった。

内燃機関車DC202。1955（昭和30）年製のL型機で、ボンネット逆側のキャブは平面となっている。　1978.12.3　真鍋　P：元木史昭

DC201。1969（昭和44）年には竜ケ崎線に転じ、同線で生涯を終えた。　所蔵：関東鉄道株式会社

DC202は新製以来筑波線で活躍、1981（昭和56）年まで車籍があった。　1974.8.26　真鍋　P：藤本哲男

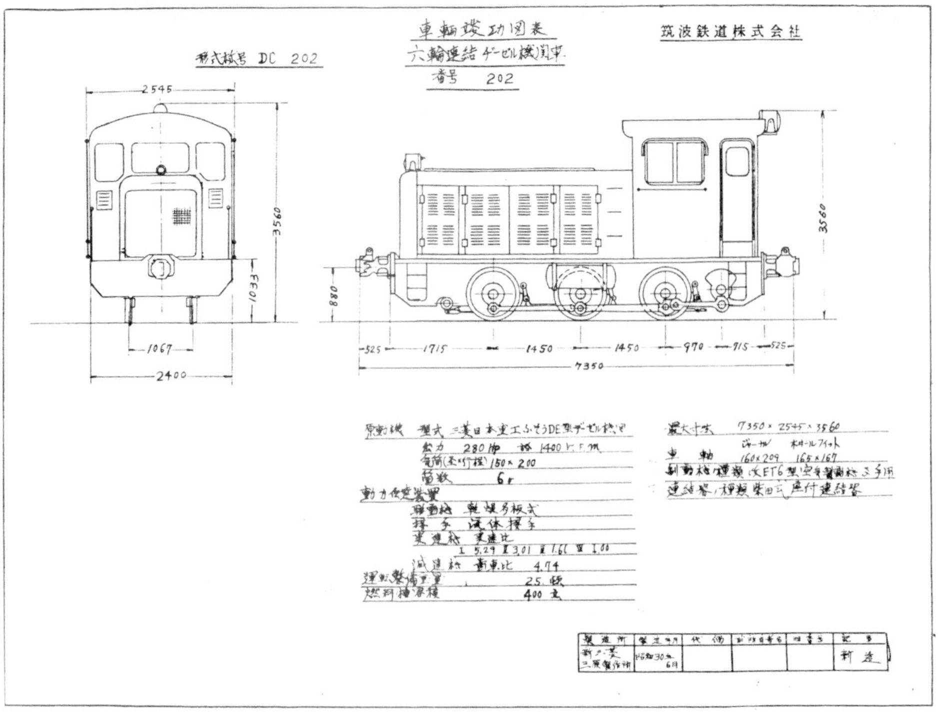

■車両竣工図表　六輪連結ヂーゼル機関車 形式称号DC202 番号202

●DC351

戦後に鹿島参宮鉄道が唯一新造した車両がDC351で、1958(昭和33)年12月新三菱重工業三原製作所製のL形機(製番1035)である。機関は三菱DL2L(460PS)で、液体変速機付き歯車変速式という過渡期の製品であった。運転状況は良好で、当機の入線により蒸気機関車を予備機に追いやった。

関東鉄道となって大型機が転じてくると1969(昭和44)年6月30日に筑波線に転じ、1974(昭和49)年3月20日に廃車となった。筑波線での在籍は約5年であった。

1969(昭和44)年に鉾田線から筑波線に転属したDC351は、1974(昭和49)年までの活躍であった。
1970.4.6　岩瀬　P：西村雅幸

内燃機関車DC351。1958(昭和33)年製のL型機で、当初は鹿島参宮鉄道(鉾田線)用として新造された。
1970.3.15　真鍋　P：藤本哲男

内燃機関車DD501。1954(昭和29)年製の凸型機で、1973(昭和48)年に常総線から筑波線へ転属、貨物列車や国鉄直通の客車などの牽引に用いられた。
1979.9.15　真鍋　P：元木史昭

●DD501

1954(昭和29)年1月16日認可申請・8月2日認可。1954(昭和29)年4月新三菱工業三原製作所製の凸型機(製番809)で、センターキャブの両側に三菱日本重工業川崎製作所製のDEL形とDE2L機関を搭載し、最大出力450PSは当時の地方鉄道最大として脚光を浴びた。運転整備重量は39.71tであったが、形式はDD50形を名乗った。

新製以来常総線で活躍し、1973(昭和48)年3月20日に筑波線に移った。1981(昭和56)年8月1日の貨物廃止後は行楽シーズンの国鉄客車乗入(12系6連が多かった)の牽引が唯一に近い仕事となり、通常は真鍋機関区で休んでいた。営業最終日まで在籍し、1987(昭和62)年4月1日に廃車となった。

DD501の足回りは軸配置B-Bのロッド駆動式。晩年はランボード側面に白帯が巻かれていた。1987(昭和62)年の廃線時まで車籍があった。
1984.4.30　真鍋　P：元木史昭

国鉄からの直通快速列車「つくば号」(12系客車６両)を牽引するDD501。　1984.4.30　常陸小田　P：元木史昭

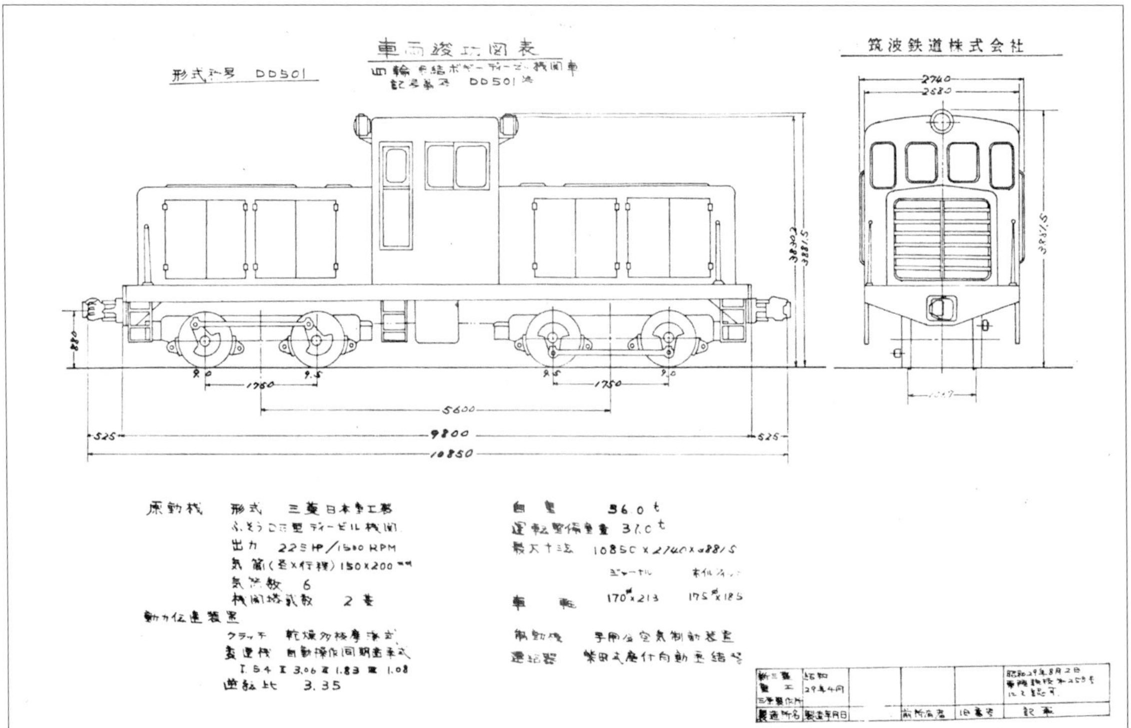

■車両竣工図表　四輪連結ボギーディーゼル機関車 形式称号DD501 記号番号DD501

1937(昭和12)年製のガソリンカー、キハ302。戦後にディーゼルカーに改造した後、南部縦貫鉄道に譲渡され、同社のキハ103となった。南部縦貫鉄道ではレールバスのキハ101・102の予備車で、最晩年は客車代用であった。
1959年　真鍋
P：高井薫平

(3-3) 内燃動車

筑波鉄道→常総筑波鉄道筑波線→関東鉄道筑波線→筑波鉄道(二代)を通じた69年間に在籍した内燃動車は41両であった。

●キハ301～303

蒸気動力の鉄道においてガソリンカーの導入は昭和初期であることが多かったが、筑波鉄道においては極めて遅く、ガソリン動力併用願いは1937(昭和12)年２月23日、認可は同年５月27日、ガソリンカーキハ301～303は1937年５月27日設計認可、６月11日使用開始認可申請・６月11日竣工で、６月15日より運転を開始した。

湯口 徹氏によると、ガソリンカーの採用が1937年であったのは筑波鉄道のほかは北見鉄道と加悦鉄道

キハ302と同型のキハ303。他社譲渡のなかった301と303は1970(昭和45)年に廃車された。
1959.4　土浦　P：高井薫平

常総筑波鉄道から関東鉄道へと変わり、クリーム色と朱色を主体とした塗装変更後のキハ301(左)とキハ303。
1970.3.15　真鍋　P：藤本哲男

播丹鉄道出自の筑波線キハ304を常総線転属後に付随車化したキサハ55。
1970.9.14　水海道
P：藤本哲男

で、これより遅いのは北丹鉄道(1940年)のみであった。

戦時中に燃料が不足すると、1942(昭和17)年2月4日設計認可申請で代燃に改造された。

戦後1951(昭和26)年にDS11に換装してディーゼルカーとなり、キハ302のみ1963(昭和38)年に南部縦貫鉄道に転じてキハ103に、他の2両は1970(昭和45)年8月31日に廃車。南部縦貫鉄道キハ103は1980(昭和55)年10月17日廃車であった。

●キハ304→キサハ55

1941(昭和16)年9月日本車輌製の播丹鉄道キハ520として誕生し、1943(昭和18)年6月の国有化で鉄道省キハ40810となった。

国鉄廃車は1949(昭和24)年9月で、1951(昭和26)年12月に常総筑波鉄道が譲受け常総線キハ64とした。1954(昭和29)年に筑波線に転じ、1956(昭和31)年3月にキハ301～303の続番としてキハ304を名乗った。

筑波線では数少ない気動車としてよく働いたが、1962(昭和37)年1月に常総線に戻り機関を外して使用され、1963(昭和38)年11月にキサハ55に改番された。常総線キサハ55としての廃車は1970(昭和45)年8月31日であった。

●キハ305

1935(昭和10)年7月に日本車輌東京支店製で新造された常総鉄道キホハ61が前身。1942(昭和17)年3月に代燃装置を取り付け、1951(昭和26)年12月に日野11B機関を搭載してディーゼルカーとなった。

1955(昭和30)年3月に筑波線に転じた時点でホが外れてキハ61となり、1956(昭和31)年3月に筑波線流に改番されてキハ305となった。15年近く筑波線で使用され、1970(昭和45)年8月31日に廃車となった。

キハ305は1935(昭和10)年製の新造車。窓天地の小さい一段窓であることが特徴。
1962.8　真鍋
P：高井薫平

国鉄キハ40000形を譲り受けたキハ311。1952(昭和27)年に筑波線に配置、1970(昭和45)年に廃車された。
1962.3.31　真鍋
P：風間克美

●キハ311

1934(昭和９)年３月８日落成で日本車輛にて新造されたガソリンカーである鉄道省キハ40009は、1949(昭和24)年９月30日に国鉄廃車。1952(昭和27)年２月に宇都宮車輛で日野DS11に換装されてディーゼルカーとなり、1952年11月に常総筑波鉄道キハ311として筑波線に配属された。それから15年以上活躍して1970(昭和45)年８月31日に廃車となった。

新宮鉄道→鉄道省出自のキハ312。写真は付随車化後と思われ、車端に荷物台のあった痕跡が残る。　1962.3.31　真鍋　P：風間克美

●キハ312→キサハ50

1931(昭和６)年11月松井車輛製作所製の新宮鉄道キハ203として誕生した(書類上は1932年９月小島栄次郎工業所製とあるが、小島は終始自前の工場は持たず実際は松井車輛製作所)。1932年９月の国有化で鉄道省キハ40302となり、1942(昭和17)年３月に鉄道省での廃車、1943(昭和18)年９月に常総線キホハ63となった。

1952(昭和27)年２月に筑波線に転じ、1954(昭和29)年11月に日野DS11を搭載してデイーゼル化、1956(昭和31)年２月にキハ312に改番。その後ほどなく事実上の付随車として使用され、荷物台跡の台枠は縮められた。1963(昭和38)年10月にキサハ50に改番され、1970(昭和45)年８月31日に廃車となった。

付随車化されたキハ312は後に車番をキサハ50と改めた。廃車は1970(昭和45)年。　1966.8.18　筑波　P：元木史昭

●キハ313

1932(昭和７)年１月新潟鐵工所製で、常総鉄道初のボギー式ガソリンカー、キホハ51形52として登場した。戦後もガソリンカーとして使用され1950(昭和25)年８月28日車両使用区間変更認可申請で1951(昭和26)年４月に筑波線に転じ、同年12月に機関を換装してディーゼルカーとなった。

1956(昭和31)年２月に筑波線ナンバーのキハ313に改番。キハ313の期間は僅かで、半年後の1956年８月に常総線に転じると同時に機関を撤去してコハフ52となり、1959(昭和34)年４月にキサハ52に改められた。常総線キサハ52としての廃車は1970(昭和45)年８月31日であった。

南武鉄道の電車（制御車）が出自のキハ40084。３扉車を２扉車に改造した痕跡が車体に残る。
1962.8頃　水海道
P：高井薫平

●キハ40084・40085

常総筑波鉄道筑波線ホハフ201・202（←南武鉄道クハ213・214）に、1953（昭和28）年５月４日申請・1953年９月実施で日野DA54を取り付けキハ40084・40085（キハ83・84の期間があった可能性あり）とした。同時に中央扉を埋めて２扉化したが、運転台は片側のみで元クハのイメージが残った。

新塗装化後のキハ40084。1972（昭和47）年に廃車された。
1970.9.14　真鍋　P：藤本哲男

1958（昭和33）年８月に日本車輌製の台車に履き替え、常総線に転じ（その時の車番はキハ40084・40085）、1968（昭和43）年に室内灯を蛍光灯に改めた。1969（昭和44）年に40084は改番することなく筑波線に戻っていた。２両とも1972（昭和47）年５月８日に廃車となった。

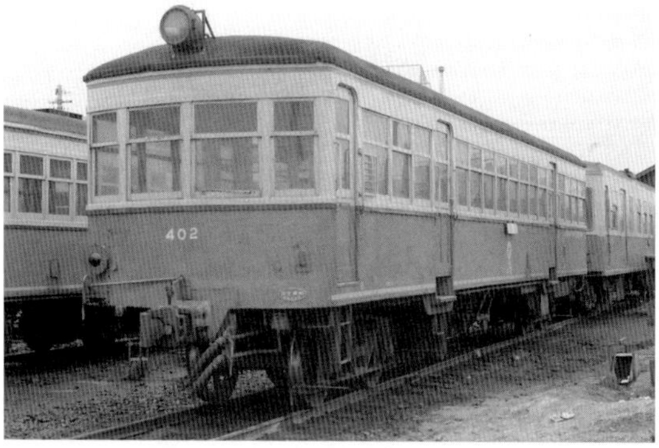

キハ402は、現在のJR加古川線の前身である播丹鉄道レカ17を出自とする前面４枚窓の16m級車。1972（昭和47）年まで在籍していた。
1970.3.15　真鍋　P：藤本哲男

●キハ401・402

国鉄キハ40355・40356（←播丹鉄道キハ510・511←1936年川崎製レカ16・17）を1951（昭和26）年12月に譲り受け、1952（昭和27）年８月20日申請・1952年10月実施で富士車輌にてDB5L（85PS）を搭載し、両端にあった荷物台を外して窓１個分車体を延長した。これで車体長は16m近くになり、当時としては大型の部類であった。機関はDB7L（85PS）に

播丹鉄道レカ16を出自とするキハ401。廃車は1974（昭和49）年。
1970.9.15　真鍋　P：藤本哲男

キハ500形は1959(昭和34)年日本車輌製のデラックス車両。筑波山への観光客の利用を見込んだセミクロスシート車で、国鉄水戸線直通列車にも使用された。 1987.3.24 真壁 P：荻原俊夫

換装ののち1964(昭和39)年1月に日野DS60(85PS)となったが、出力は不足気味であった。

402は1972(昭和47)年5月8日、401は1974(昭和49)年3月20日に廃車となった。

●キハ501～503

1959(昭和34)年10月に常総筑波鉄道が筑波山観光客に照準を当てて日本車輌で新造したデラックス車両で、セミクロスシート、常総筑波鉄道初の総括制御車両であった。扉下部の踏み込みがない電車スタイルで、小坂鉄道キハ2100形と似ているが、全長18.1mで窓一つ分短い。504・505・503の3両が登場し、すぐに504・505は501・502に改番され、501・502は1963(昭和38)年に常総線に転じ、1968(昭和43)年にロングシートとなった。

当初は急行「つくばね」や水戸線直通列車に使用された。筑波線に残ったキハ503は1976(昭和51)年1月に機関が日野DS402BからDMH17に、変速機がTC2Aに更新され、営業最終日まで活躍した。

●キハ504・505

キハ500形と同時に新造され、同スタイルだが、空気バネ台車装備。当初は501・502であったが、最新設備車輌＝最大番号との考えから改番された。

1976(昭和51)年にキハ503と同様の更新を受け、営業最終日まで活躍した。

キハ500形の中でも空気バネ台車を装着して登場したキハ501・502は、後に互いに番号を振り替える形でキハ504・505に改番された。
1987.2.21虫掛
P：荻原俊夫

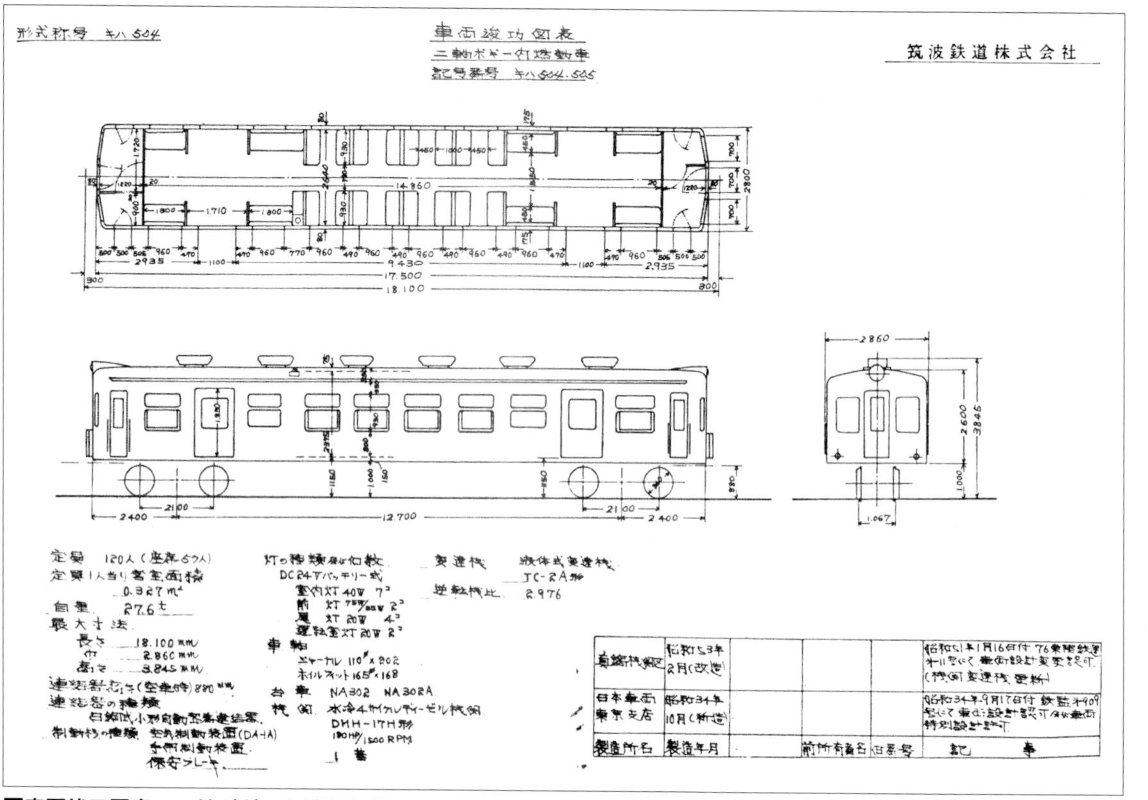

■車両竣工図表　二軸ボギー内燃動車 形式称号キハ500 記号番号キハ504・505

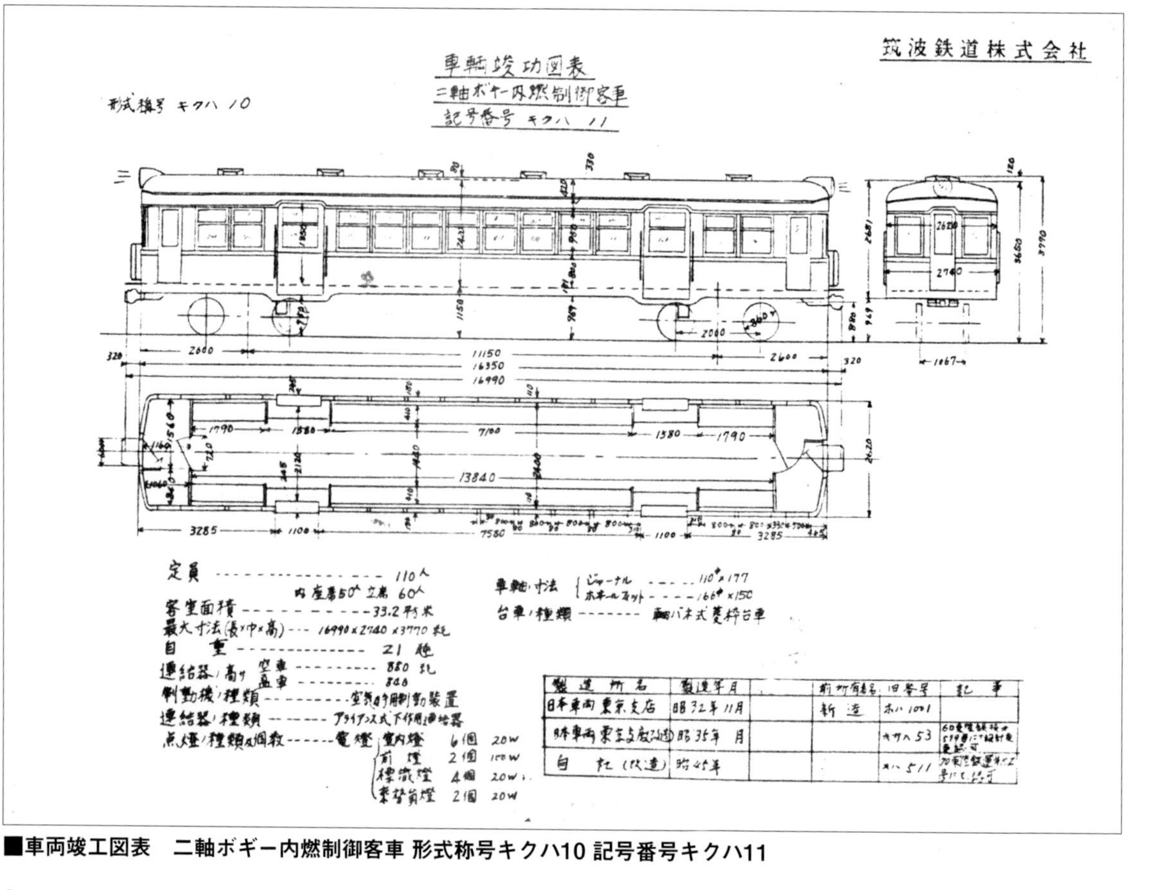

■車両竣工図表　二軸ボギー内燃制御客車 形式称号キクハ10 記号番号キクハ11

1957(昭和32)年製の常総線客車ホハ1001を前身とする制御車キクハ11。路線廃止前年の1986(昭和61)年まで車籍が残存した。
1979.9.15　真鍋
P：元木史昭

●キハ511→キクハ10形11

1957(昭和32)年11月に常総線ホハ1001として誕生。1958(昭和33)年４月にキサハ53と改番され、1960(昭和35)年９月に日本車輛東京支店で日野DS40B2機関を搭載してキハ511(初代)となり、筑波線に配属された。

気動車化にあたって妻板側の側窓を各1つつぶして運転台が設けられ、乗務員扉が付いた。運転士側の乗務員扉の直後にタブレット授受のためのプロテクターが備えられて急行運転対応を行った。

二代目キハ511誕生前には常総線に転じ、1970(昭和45)年12月に水海道工場で機関を外されてキクハ11となったが、運転台は両側とも残された。

筑波鉄道分離時に筑波線に転じたが、晩年は休車状態で1986(昭和61)年12月10日に廃車となった。

●キハ804・805

常総筑波鉄道が1961(昭和36)年10月に日本車輛東京支店で新造した。キハ504形とよく似たスタイルだが、車体長が２m延びて20m車となった。空気バネ台車装備のデラックスカーで、801～803が常総線、804・805が筑波線に投入された。

筑波線の２両は岩瀬～小山間乗入用に使用され、500・504形が国鉄気動車との回路の違いから総括制御ができなかったことから、当車は可能なように改良され、満を持しての登場であった。

キハ804は1964(昭和39)年９月、805は1965(昭和40)年10月に常総線に転じた。岩瀬から小山への乗り入れは1965年３月19日限りで廃止され、その前後での転属で、登場時のセミクロスシートは、転属に合わせてロングシート化された。２扉のままの外観を保ち、1993(平成５)年まで活躍した。

国鉄水戸線乗り入れ時に総括制御が可能なようキハ500形を改良して登場したキハ800形。写真は筑波線804・805と同形の常総線キハ801。
1974.7.21　水海道　P：田尻弘行

国鉄キハ41122を譲り受けたキハ41001。1935(昭和10)年大宮工場製で、常総線→筑波線と転じ1976(昭和51)年に廃車された。
1970.3.15　真鍋
P：藤本哲男

●キハ41001・41003・41004

常総筑波鉄道がキハ41000形を最初に譲り受けたのは国鉄キハ41122・41124・41086・41089の４両であった。

キハ41001・41002・41003・41004はそれぞれ鉄道省キハ41000形41122・41124・41086・41089として誕生し、キハ41122は1935(昭和10)年９月大宮工場製、キハ41124は1935年８月川崎車輌製、キハ41086は1934(昭和９)年10月大宮工場製、キハ41089は1934年11月鷹取工場製であった。いずれも1949(昭和24)年９月30日の国鉄廃車で、最終配置地は新鶴見・大宮・田端・新鶴見であった。

1950(昭和25)年７月に富士産業宇都宮工場でDA45に換装し、常総筑波鉄道キハ41001～41004が登場した。同鉄道初のディーゼルカーで、当初は軽油の入手が困難であったことから代燃装置も取り付けていたという。竣功時にロングシート化がなされた。

常総線で活躍したが、41002は事故により1962(昭和37)年に日車東京支店で復旧する際にトレーラー化してキサハ61となった。41001・41003・41004の３両は1965(昭和40)年頃には筑波線に転じ、41004の最晩年はさらに鉾田線に転じた。３両とも1976(昭和51)年７月22日に廃車となった。

●キハ41005・41006

キハ41005と41006は鉄道省キハ41000形41077と41050として誕生した。

キハ41077は1934(昭和９)年３月19日落成で新潟鐵工所にて新造され、1948(昭和23)年12月に長野工場で天然ガス動車に改造されてキハ41209、1952(昭和27)年10月に長野工場でDMF13に換装されてキハ41309、1957(昭和32)年４月の称号改正でキハ04 10に、そして1957年12月20日に中込区で国鉄廃車。以上は公式上の記録であるが、現車には「昭和９年川崎車輌」とあったようで、入れ替わっていた可能性はある。

キハ41050は1933(昭和８)年12月26日落成で日本車

国鉄キハ41086を譲り受けたキハ41003。1934(昭和９)年大宮工場製で、常総線→筑波線と転じ1976(昭和51)年に廃車。
1971.5.30　真鍋　P：藤本哲男

国鉄キハ41089を譲り受けたキハ41004。1934(昭和９)年鷹取工場製で、常総線→筑波線→鉾田線と転じ1976(昭和51)年に廃車。
1970.3.15　真鍋　P：藤本哲男

1934(昭和９)年新潟鐵工所製の国鉄キハ04 10(登場時キハ41077)を譲り受けたキハ41005。晩年は鉾田線に転じ、正面２枚窓の片運車キハ411として活躍した。
1970.9.14　真鍋
P：藤本哲男

輌にて新造され、1950(昭和25)年４月に新小岩工場でDA55に換装されてキハ41504、1954(昭和29)年９月30日に大宮工場改造でキハ41323、1957(昭和32)年4月の称号改正でキハ04 24、そして1958(昭和33)年１月11日に中込区で国鉄廃車となった。

この２両を常総筑波鉄道が払い下げを受け、1959(昭和34)年５月にキハ41005・41006とした。登場当初から常総線で使用され、1963(昭和38)年５月に41006が、1963年６月に41005が液体式化と機関換装(DA55→DMF13BまたはDMF13C)の後、同月に41006、1965(昭和40)年4月に41005が筑波線に移った。これによって筑波線にはキハ41000形６両が揃い、幅を利かせるようになった。

1970(昭和45)年に２両とも鉾田線に転じ、1972(昭和47)年６月、西武所沢工場で片運転台化、総括制御可能で正面２枚窓のスタイルとなりキハ411・412に改番された。しかし２両固定編成は運用が限られ、1983(昭和58)年４月から休車となり、1986(昭和61)年３月31日に廃車となった。

●キハ41007

1934(昭和９)年３月20日落成で鷹取工場にて新造されたキハ41064が出自。1951(昭和26)年５月に川崎車輌でDA55に換装されてキハ41540、1957(昭和32)年２月７日に小倉工場でDA58に改造されてキハ41446、1957(昭和32)年４月の称号改正でキハ04 547、そして1962(昭和37)年２月28日に広島区で国鉄廃車となった。

この車を常総筑波鉄道が払い下げを受け、1962年10月にキハ41007とした。入線時に機関をDA58からDMF13Cに換装した。当初から筑波線で使用され、41005・41006と共に1970(昭和45)年に鉾田線に転じた。道産子気動車が入線するとお役御免になり1976(昭和51)年７月22日に廃車となった。

1934年鷹取工場製の国鉄キハ04 547(登場時キハ41064)を譲り受けたキハ41007。晩年は鉾田線に転じ、1976(昭和51)年まで活躍した。
1963.4.26　岩瀬
P：荻原二郎

国鉄キハ04 23(登場時キハ41017)の譲受時に機関撤去を行い、付随車として入線したキサハ41801。
1974.8.26　真鍋
P：藤本哲男

●キサハ41801

1933(昭和８)年３月８日落成で日本車輌にて新造されたGMF13搭載のキハ41017が出自。1950(昭和25)年５月に高砂工場でDA55に換装されてキハ41502、1954(昭和29)年５月27日に大宮工場で改造されてキハ41322、1957(昭和32)年４月の称号改正でキハ04 23、そして1962(昭和37)年３月31日に勝浦区で国鉄廃車。以上は公式上の記録であるが、現車には「昭和９年新潟鐵工所」とあったようで、入れ替わっていた可能性はある。

鹿島参宮鉄道が1962年に国鉄キハ04 23の払下げを受け、1964(昭和39)年の入線時に日本車輌東京支店で機関撤去のうえ車体を更新してキサハ41801とした。常総線ののち筑波線入りし、1979(昭和54)年３月８日に廃車となった。

晩年期のキサハ41801。車体側面に広告枠が設置されている。常総線から筑波線に転じ1979(昭和54)年に廃車。
1978.12.3　真鍋　P：元木史昭

●キサハ71

1935(昭和10)年４月日本車輌製の江若鉄道キニ10が前身。当初GMF13機関搭載で、戦後DA54を経てDMH17に変わっていたが、エンジンを外してハニフ10となり、1965(昭和40)年度に乗務員扉と手荷物扉

付随車キサハ71の前身は江若鉄道のキニ10。江若時代に機関撤去や中間車化がなされ1969(昭和44)年の同線廃止時に３両編成のまま竜ケ崎線に入線、晩年のキサハ71は筑波線所属となった。
1974.8.26　真鍋
P：藤本哲男

1934(昭和９)年川崎車輌製の国鉄キハ04 36(登場時キハ41070)を譲り受けたキハ41302。基本は竜ケ崎線の配置だが、一時的に筑波線に入線していたものと思われる。
1971.5.30　真鍋　P：藤本哲男

を埋め、両端を切妻にして３両固定編成の中間車ハ5010となった。

1969(昭和44)年11月の江若鉄道廃止後は5121-5010-5122の編成ごと関東鉄道竜ケ崎線に転じた。5010の最晩年は筑波線キサハ71となり、筑波線キサハ71としてはほとんど使用されないまま1974(昭和49)年３月20日に廃車となった。

●キハ41302

1934(昭和９)年３月川崎車輌製の鉄道省キハ41070が出自。1952(昭和27)年２月に小倉工場で日野DA55に換装されてキハ41559、1955(昭和30)年3月に大宮工場で改造されてキハ41335、1957(昭和32)年４月の称号改正でキハ04 36となった。

国鉄廃車は1959(昭和34)年４月25日で、同年12月に鹿島参宮鉄道が購入してキハ41302とした。竜ケ崎線で使用を開始したが、1971(昭和46)年５月30日に藤本哲男氏が真鍋で撮影した写真があり、一時は転属していたと思われる。最晩年は再び竜ケ崎線に戻り、1982(昭和57)年１月19日に廃車となった。

●キハ705

1937(昭和９)年７月26日落成で日本車輌にて新造されたキハ42040が出自。1952(昭和27)年３月に名古屋工場で改造され国鉄キハ42534、1957(昭和32)年４月１日にキハ07 35に改番、1964(昭和39)年３月30日に広島区で国鉄廃車。1965(昭和40)年２月17日譲受認可で常総筑波鉄道キハ42002としたが、この車番は戸籍上の番号で、1965年３月22日車号変更届でキハ705となり筑波線所属となった。

1975(昭和50)年４月21日認可で西武所沢工場において正面切妻片運転台化、中央扉拡幅、総括制御化の大改造を受けて常総線キハ613となった。廃車は1983(昭和58)年９月30日であった。

1937(昭和12)年川崎車輌製の国鉄キハ07 35(登場時キハ42040)を譲り受けたキハ705。筑波線に配属された後、正面切妻・片運転台化などの改造を経て常総線キハ613とされた。
1970.9.14　真鍋　P：藤本哲男

江若鉄道最後の新造気動車キハ30→5120を前身とする関東鉄道キハ5120(後のキハ511)。1971(昭和46)年より筑波線で使用された。
1971.4.7　虫掛
P：荻原二郎

●キハ5120→511(二代)

江若鉄道戦後唯一の新造気動車キハ30として誕生。1965(昭和40)年にキハ5120と改番され、気動車３両編成の中間車となった。

江若廃止後は1970(昭和45)年４月に関東鉄道が譲り受け、改番することなく常総線に配置。1971(昭和46)年３月に筑波線に転じ1972(昭和47)年10月１日にキハ511に改番された。

筑波鉄道分離時、現車は真鍋機関区に留置されていたが、関東鉄道所有のままであった。これは、改造の上、竜ケ崎線で使用の予定であったためで、その後、竜ケ崎線での使用計画は中止となり、1981(昭和56)年５月13日関東鉄道廃車・同年７月20日筑波鉄道譲渡となった。1981(昭和56)年７～８月に日本電装の出張工作により正面方向幕撤去とHゴム化がなされたが、最後まで江若時代の面影をよく留めていた。

『鉄道ピクトリアル496号 新車年鑑1988年版』では営業最終日における在籍車両と記されているが、最晩年は稼働していなかったと思われる。

●キハ461・462

キハ461と462は、国鉄キハ41000形41056と41034として誕生した。

キハ41056は1934(昭和９)年１月30日落成で川崎車輌にて新造され、1948(昭和23)年12月に長野工場でDA55に換装されてキハ41207、1952(昭和27)年11月に長野工場で改造されてキハ41307、1957(昭和32)年４月の称号改正でキハ04 8、そして1958(昭和33)年１月11日に中込区で国鉄廃車となった。

キハ41034は1933(昭和８)年３月31日落成で新潟鐵工所にて新造され、1948(昭和23)年12月に長野工場で天然ガス動車に改造されてキハ41205、1952(昭和27)年11月に長野工場でDMF13に換装されてキハ41305、1957(昭和32)年４月の称号改正でキハ04 6、そして1958(昭和33)年１月11日に中込区で国鉄廃車。

1958(昭和33)年８月14日には遠州鉄道に譲渡され

1933(昭和８)年新潟鐵工所製の国鉄キハ04 6(登場時キハ41034)を遠州鉄道・北陸鉄道経由で譲り受けたキハ462。
1974.8.26　真鍋　P：藤本哲男

1934(昭和９)年川崎車輌製の国鉄キハ04 8(登場時キハ41056)を遠州鉄道・北陸鉄道経由で譲り受けたキハ461。現在はキハ41307として鉄道博物館に保存されている
1979.9.15　真鍋　P：元木史昭

キハ802・801となった。電化路線の遠州鉄道が気動車を導入したのは、国鉄二俣線(現在の天竜浜名湖鉄道)乗り入れのためであった。

1967(昭和42)年に北陸鉄道能登線に転じてキハ5211・5212、北陸鉄道能登線廃止後は1972(昭和47)年11月に気動車４両が関東鉄道に転じ、うち３両が筑波線に入った。

キハ5211・5212は1972(昭和47)年11月22日車両設計認可でキハ461・462となり、ほとんど手を加えることなく使用を開始した。扉は遠鉄時代に自動化され、側面に車側灯が付いていた。1977(昭和52)年に機関をDMH17BからからDMF13Cに換装。キハ462は1981(昭和56)年11月30日、461は1985(昭和60)年７月18日に廃車となった。

なお、キハ461は除籍後も車庫で保管され、廃止後はつくば市の桜交通公園で保存されたのち2007(平成19)年開館の鉄道博物館(さいたま市)に居を移し、キハ41307として保存されている。

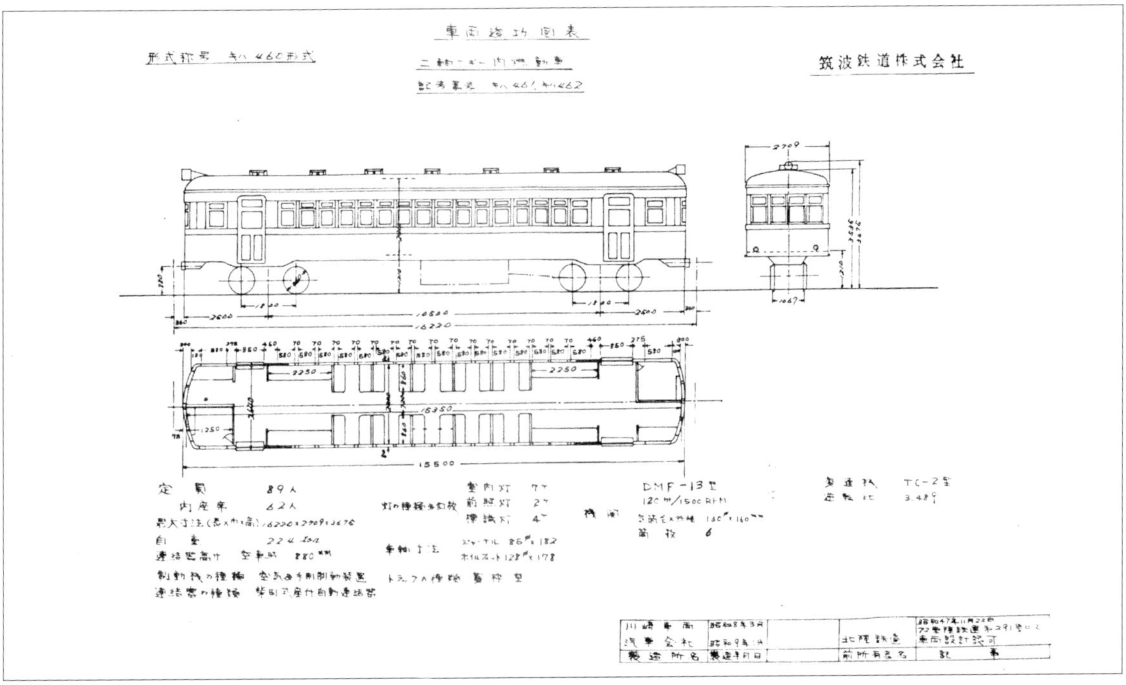

■車両竣工図表　二軸ボギー内燃動車 形式称号キハ460 記号番号キハ461・462

北陸鉄道能登線より入線したキハ541。張り上げ屋根の近代的な車体の両端に荷台が付く不思議議な外観で注目を集めた。
1973.1　常陸藤沢
P：高井薫平

●キハ541

北陸鉄道が1957(昭和32)年８月に日本車輌で新造したコハフ531として誕生し、1963(昭和38)年10月にDMH17C機関を搭載しキハ5301となった。

能登線廃止後にキハ460形とともに入線し、ほとんど改造はなく1972(昭和47)年11月22日車両設計認可で使用を開始した。1974(昭和49)年１月に機関をDMF13Cに換装し、同年10月に前照灯をシールドビーム化。張り上げ屋根に両端荷台付で、なんとも奇妙なスタイルであった。総括制御が可能で、朝夕の増結用に活躍した後、晩年は休車扱いで、1985(昭和60)年７月18日に廃車となった。

晩年の簡略塗装とされたキハ541。廃車されたのは路線廃止２年前の1985(昭和60)年。　1979.9.15　真鍋　P：元木史昭

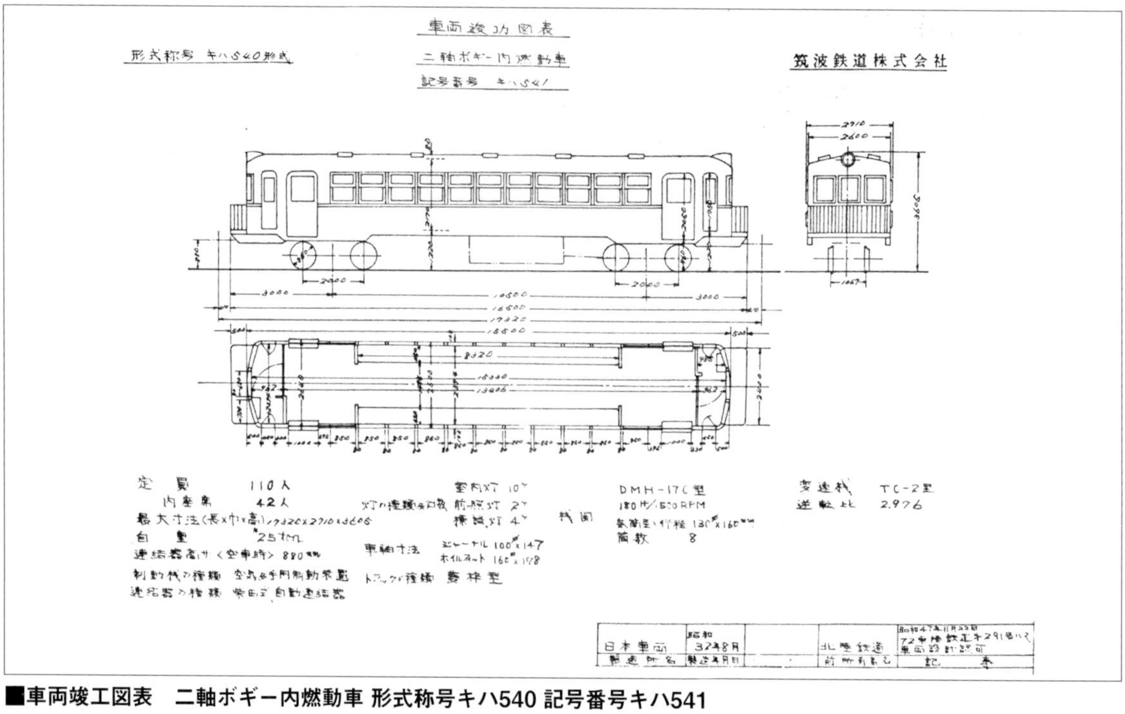

■車両竣工図表　二軸ボギー内燃動車 形式称号キハ540 記号番号キハ541

廃止となった雄別鉄道よりキハ49200Y形を譲り受けたキハ760形762。北海道用の国鉄キハ21形と似ているが、トイレがなく菱枠形台車を履く点が異なる。
1979.9.15　真鍋
P：元木史昭

●キハ761～763

雄別鉄道キハ49200Y1～3として1957(昭和32)年7月に新潟鐵工所で新造された。雄別鉄道が最初に導入した気動車で、雄別鉄道線(最晩年の雄別鉄道は雄別炭礦に合併)が1970(昭和45)年4月15日限りで廃止になると12月7日車両設計並びに特別設計認可で関東鉄道入りし、クロスシート車であったことから筑波線配属となった。転入時にスノープラウが外され、1971(昭和46)年2月に運転台寄りがロングシート化された。全長20mの大型車は収容力があり、営業最終日まで現役で活躍した。

筑波鉄道に搬入された当初のキハ760形は、雄別鉄道キハ49200Y形時代の塗色(アイボリー地+窓回り朱色)の姿であった。
1970.9.14　真鍋　P：藤本哲男

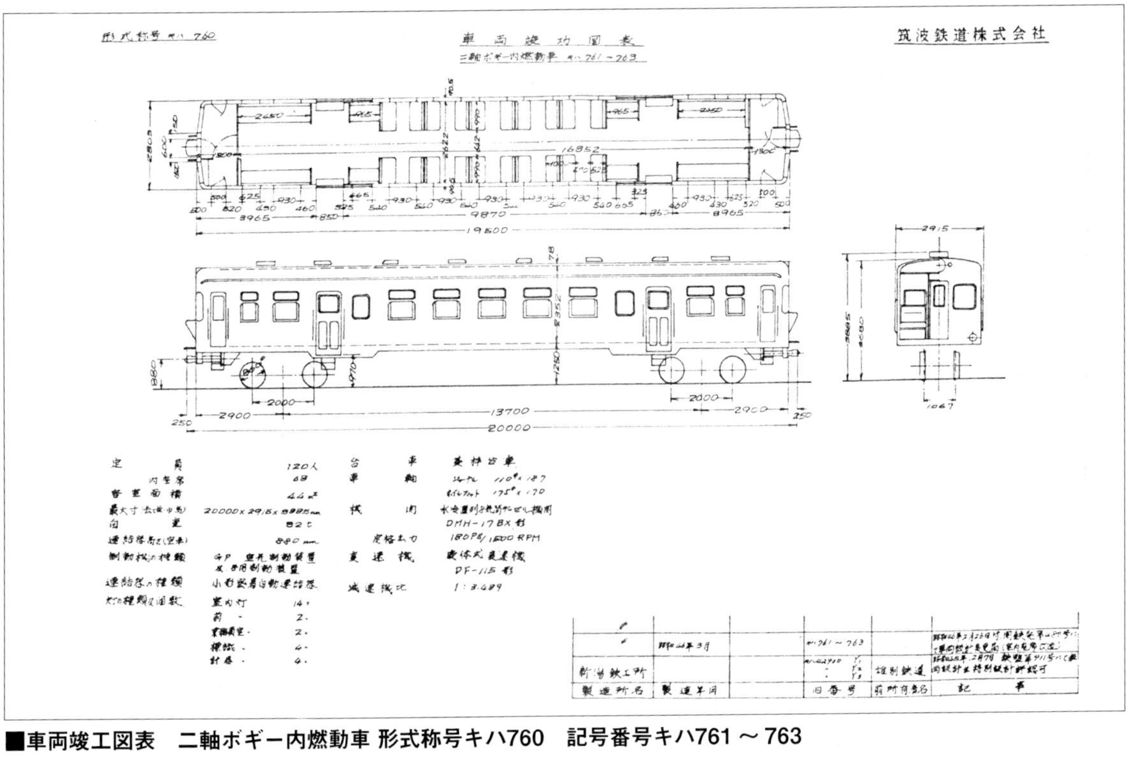

■車両竣工図表　二軸ボギー内燃動車 形式称号キハ760　記号番号キハ761～763

雄別鉄道よりキハ104・105を譲り受けたキハ810形811・812。1970(昭和45)年より筑波線で使用を開始した。
1979.9.15　真鍋
P：元木史昭

●キハ811・812

1962(昭和37)年新潟鐵工所製の雄別鉄道キハ104と105を、キハ760形と同時に1970(昭和45)年12月7日車両設計並びに特別設計認可で関東鉄道入りし、筑波線配属となった。国鉄キハ22形と同系で、小さな一段窓が並ぶ。

1971(昭和46)年5月17日認可で扉の運転台寄りがロングシートとなり、便所が撤去された。外観上は変わらず、便所であった部分の窓は小窓のままであった。キハ812は廃止の半年前1986(昭和61)年9月30日に廃車となり、811は営業最終日まで活躍した。

●キハ821

1979(昭和54)年1月31日付けで廃車となった国鉄八王子機関区キハ10 47(1956年10月帝国車輌製)を1979(昭和54)年6月14日車両設計認可で譲り受けた。筑波鉄道分離後初の増備車であったが、現車は1979(昭和54)年1月から真鍋機関区構内に留置してあったという。貫通幌を取り外し、幌枠取付座の手すり取り付け、尾灯の円板取付等の手直しで使用を開始した。前照灯は国鉄時代に改造されていて、元々のケースを生かしたシールドビームであった。

●キハ301

廃止半年前の1986(昭和61)年7月30日に国鉄キハ3016を譲り受けたもので、これは関東鉄道常総線で大量に導入にした旧国鉄キハ30・35・36形の尖兵的役割を担っていた。正面行先表示窓をつぶして前面イメージは変わったが、側面スタイルは国鉄時代のままで使用を開始した。筑波鉄道廃止後、当車のみが関東鉄道常総線に転じて2005(平成17)年11月30日廃車まで活躍した。

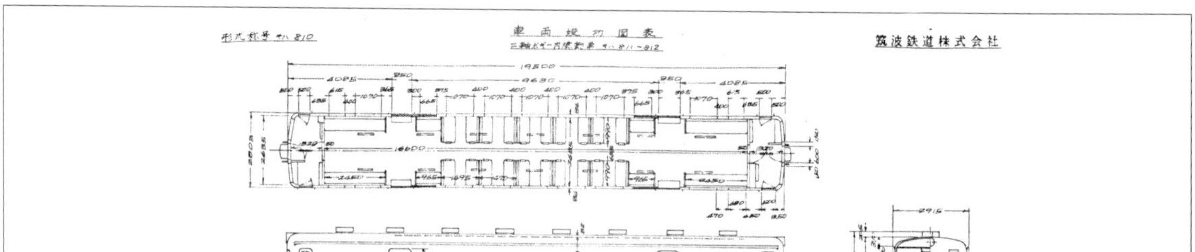

■車両竣工図表　二軸ボギー内燃動車 形式称号キハ810 記号番号キハ811～812

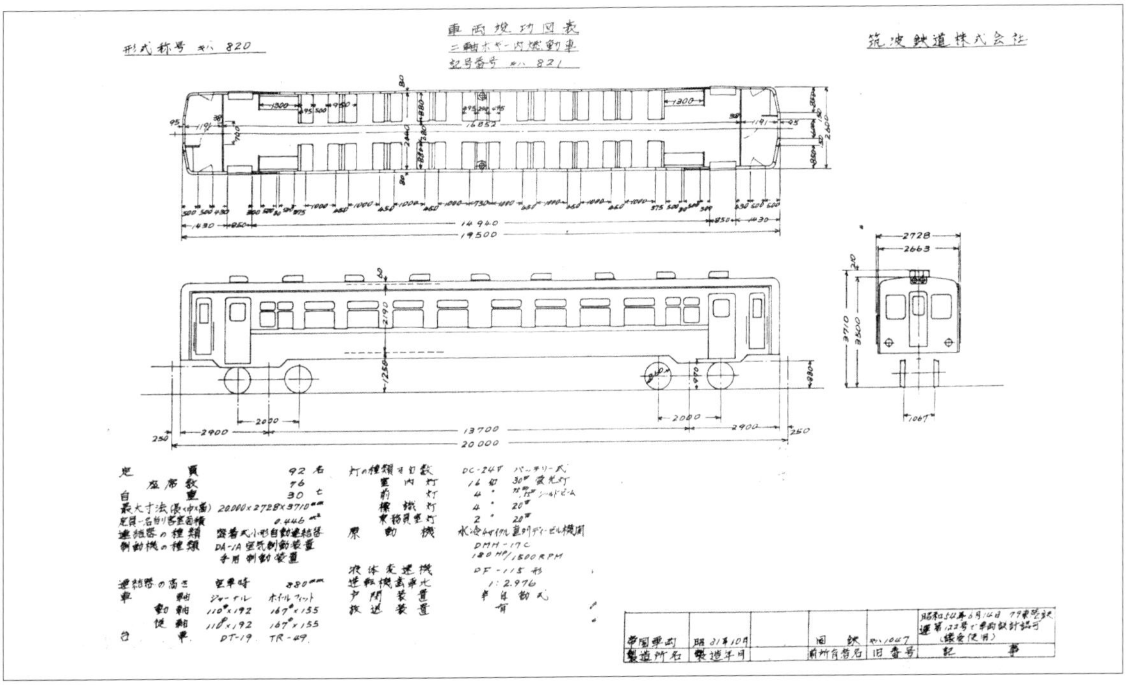

■車両竣工図表　二軸ボギー内燃動車 形式称号キハ820　記号番号キハ821

国鉄キハ10 47を譲り受けたキハ821。国鉄キハ10系は1953～1957年に728両が製造され(キハ44000系からの改造車等を含む)、国鉄の量産型気動車としては初の液体式変速器装備、総括制御車であった。1977～1982年にキハ40系が888両製造されると廃車が始まり、一部は地方私鉄に転じた。営業最終日まで活躍した。

1980.5.25　土浦
P：元木史昭

筑波鉄道としての最後の譲受車であるキハ301。1986(昭和61)年7月に国鉄キハ30 16を譲り受けた。譲り受け時には、1年以内に筑波鉄道線が廃止されることが決まっていたことから、廃止後の常総線への転属を前提にしていたと思われる。常総線では2005年11月まで活躍した。

1987.3.8　岩瀬
P：元木史昭

(4) 客車

筑波鉄道→常総筑波鉄道筑波線→関東鉄道筑波線に在籍した客車(荷物車を含む)は39両であった。

●開業時～ボギー車導入

1918(大正7)年4月17日の土浦～筑波間開業時の客車は全て鉄道院払い下げの2軸客車であった。1917(大正6)年12月5日車両譲受使用認可申請・1918年1月22日認可で客車12両(1等1両・2等11

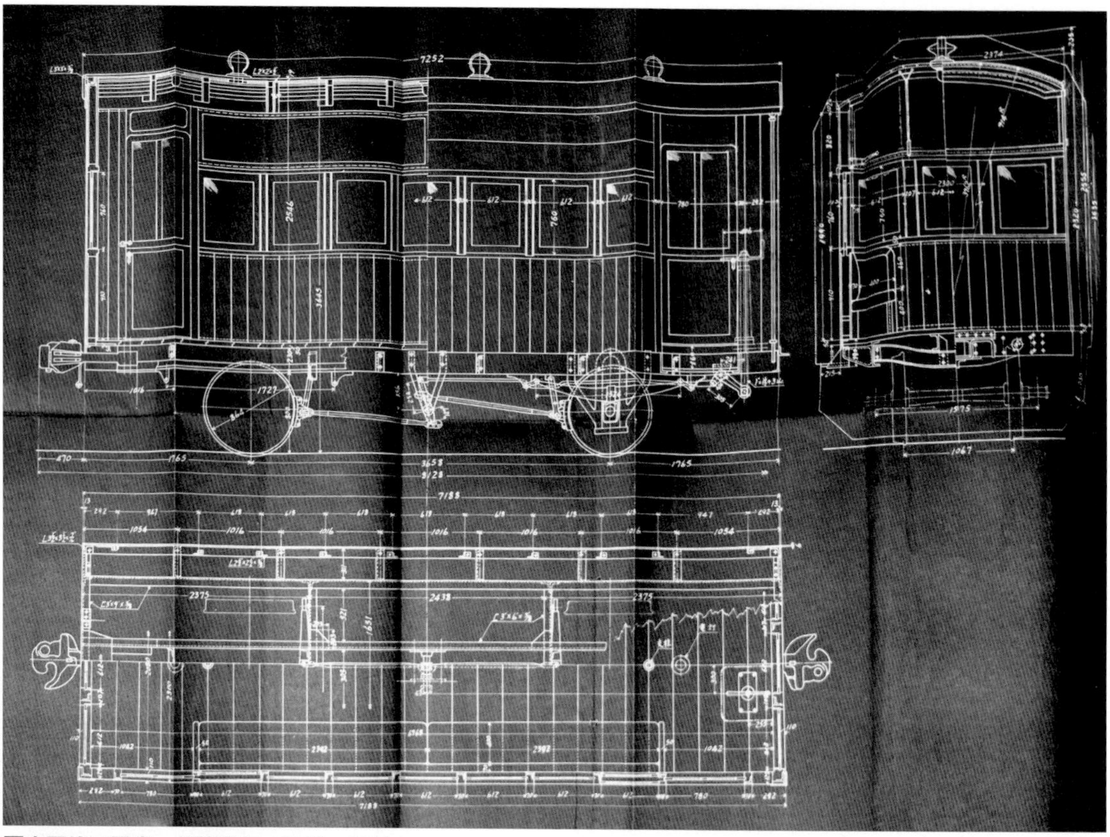

■車両竣工図表　並等客車ハ20形ハ20号

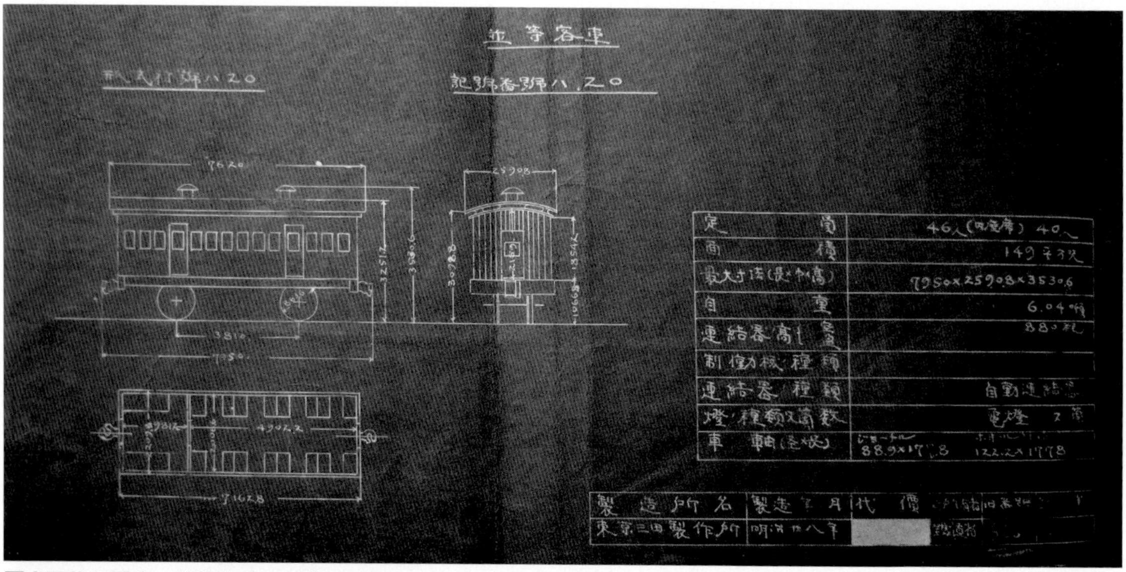

■車両竣工図表　並等客車ハ20形ハ20号

両）と手荷物緩急車３両の計15両を譲り受けた。

等級は鉄道院時代のまま引き継ぎ、鉄道院の１等車と２等車を特等車とした。特等車は手用制動機付のフロ１～３、ロ１～９の12両で２等車11両のうち４両は３等代用、手荷物緩急車は二１～３の３両であった。開業日の前日と当日、1918年４月16日申請・４月17日認可で２・３等合造車ロハ１と３等客車ハ１～４を譲り受け、客車17両・手荷物緩急車３両となった。

筑波～真壁間開業前の1918年５月31日使用認可申請で手荷物緩急車二1（二代）を導入し、同時に二１～３は番号を繰り上げて二２～４とした。この時点での各車両の定員数は上巻12頁の表の通りである。

鉄道統計年報1918（大正７）年度末の客車数量は１等１両、２等11両、２・３等合造１両、３等４両、手小荷物緩急車４両の計21両、定員は１等20人、２等274人、３等230人の計524人。２・３等合造車ロハ１の２等が16人・３等が30人とすると定員数に合致する。鉄道統計資料1919年度末の両数に変化はないが、１等定員が10人に減少し、合計も10人減少しているが、誤届と思われる。

開業時の客車は払い下げを受けた鉄道院の車種をそのまま引き継いでいて、1920（大正９）年４月28日に客車車種番号其他変更並びに吊革設置届で、２等車４両、３等車13両、手荷物緩急車４両となった。番号と定員等の変更は右表の通りであった。

フロ１の旧定員18、ロ６（旧番号ロ９）の旧定員24、ハ20（旧番号ロハ１）の旧定員２等６は、鉄道統計資料の数値との関連性からしても車両譲受認可申請時の数値（上巻12頁の表に記載）の方が正しかったと思われる。旧ロ４～７の院番号も後に譲渡された笠原鉄道に残る旧番号からも車両譲受認可申請時の番号の方が正しかったと思われる。

■1920（大正９）年現在の車両配置表

旧車種	旧番号	旧定員	改正車種	改正番号	改正定員	院番号
特等車	フロ1	18 *3	特等車	フロ1	24	フイ146
	ロ1	20		ロ3	22	ロ773
	ロ8	24		ロ5	24	ロ790
	ロ9	24 *3		ロ6	24	ロ791
	ロ2	24	並等車	ハ10	44	ロ777
	ロ3	24		ハ11	44	ロ779
	ロ6	24		ハ12	44	ロ781 *2
	ロ7	24		ハ13	44	ロ783 *2
	ロ4	24		ハ14	44	ロ786 *2
	ロ5	24		ハ15	44	ロ787 *2
2・3等合造車	ロハ1	二等6 三等32	並等車	ハ20	46	ロハ900
三等車	ハ1	50	並等車	ハ22	50	ハ2067
	ハ2	50		ハ23	50	ハ2070
	ハ3	50		ハ24	50	ハ2077
	ハ4	50		ハ25	50	ハ2079
特等車	フロ2	24	並等車	フハ35	44	フロ844
	フロ3	24		フハ36	44	フロ845
手荷物緩急車	二1 *1	荷重2t	手荷物緩急車	二45	荷重2t	二4391
	二2 *1	荷重2t		二47	荷重2t	二4392
	二3 *1	荷重2t		二48	荷重2t	二4393
	二4	荷重2t		二49	荷重2t	二4394

*1：二1～3は二代

*2：1917(大正6)年12月5日車両譲受使用認可申請書類では
ロ4の院番号ロ781、ロ5の院番号ロ783、
ロ6の院番号ロ786、ロ7の院番号ロ787

*3：1917(大正6)年12月5日車両譲受使用認可申請書類では
フロ1の定員は20、ロ9の定員は18

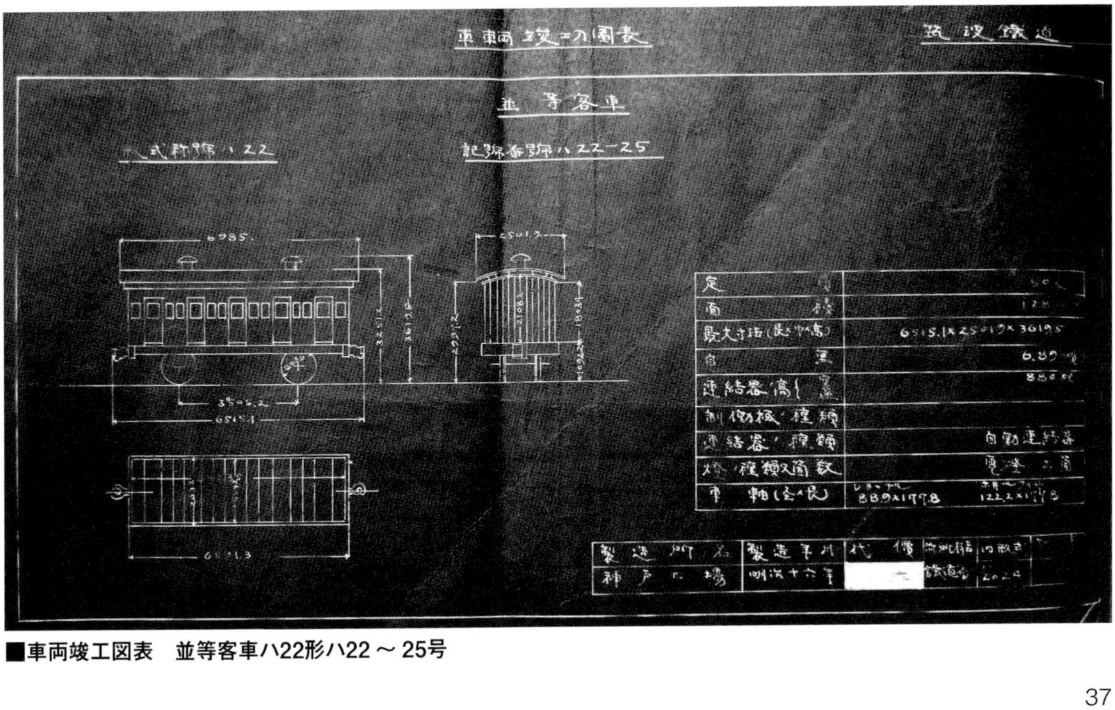

■車両竣工図表　並等客車ハ22形ハ22～25号

木造２軸客車ハフ２は1925(大正14)年にユニ２として製造、郵便物輸送終了により1939(昭和14)年にフハ２(後にハフ２)とされた。廃車は1965(昭和40)年。国立公文書館に残るユニ２からハフ２への改造理由は次の通り。「弊鐵道ニ於テ郵便物輸送廃止ノ結果本車輌ヲ客車ニ改造シ、以テ瓦斯倫客車ノ使用緩和ヲ計リ国策ノ見地ヨリ瓦斯倫ノ使用量ヲ幾分節約センガ為メニ依ル」
1962.8　真鍋　P：田尻弘行

●ボギー車導入後

ボギー客車の導入は、1924(大正13)年10月24日客車購入許可申請・1925(大正14)年１月22日認可・５月５日竣工により日本車輌で新造した四輪ボギー３等客車２両(ホハフ101・102)と２・３等合造客車１両(ホロハ201)からであった。この３両までの車両の連結器は螺旋連環で、1925(大正14)年９月17日に二47と二48を除くすべての車両を自動連結器取に変える申請を行ったが、この３両とユニ１・２と８号機関車の変更は少し遅れて1918年10月６日であった。

ボギー客車は1925(大正14)年11月22日認可でホハフ103とホロハ202・203が増備され、1927(昭和２)年６月29日にナハフ104・105、ナロハ204が増備される際、当局の指摘で従来車のホハフとホロハが「トン数換算省規定二準ジ」ナハフとナロハに改められた。これでボギー客車９両が揃った。これらのボギー客車は木製ではあったが、宇都宮延長線の電気運転を見越して電車改造を考慮した「電車型客車」であった。

ボギー車導入により、開業以来使用を続けていた単車のうちハ10・11・13・14の４両が1928(昭和３)年に笠原鉄道(後の東濃鉄道笠原線)に転じた。

キハ301 ～ 303が1937(昭和12)年６月15日より運転を開始したことから、1937年11月27日にハ22 ～ 25と二47・48が廃車。1938(昭和13)年６月20日にフロ１、ロ３・５・６、ハ12・15・20、フハ35・36、二49が廃車。これにより開業時に鉄道院から払い下げを受けた客車と緩急荷物車はユニ３のみとなった。

同じころ、ボギー客車にも動きが見られた。1939(昭和14)年１月10日届出でナハフ102とナロハ204が阪和電気鉄道に、1939年１月18日届出受付でナハフ101とナロハ203が三河鉄道に、1939年１月27日届出受付でナロハ201・202が阪和電気鉄道に転じ、ナハフ105はガソリン客車運転開始後に混合列車の利用客が激減したとして、1938年２月７日申請で手荷物室を新設して旅客定員を100人から80人にし、ナハニ105とした。またユニ１・２は郵便物輸送の終了に伴い、1939(昭和14)年８月２日認可申請でフハ１・２となった。

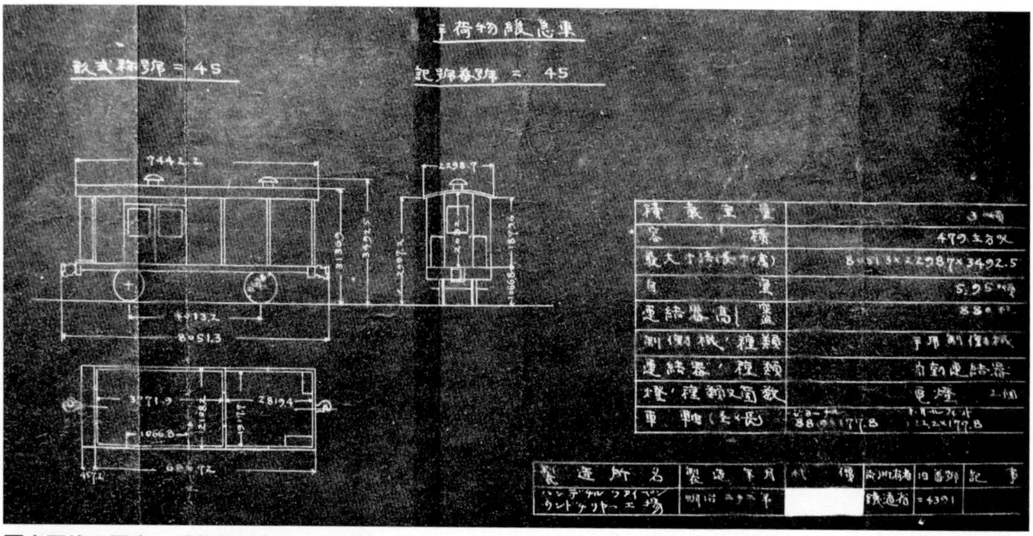

■車両竣工図表　手荷物緩急車 二45形

木造ボギー客車ナハフ105は1927（昭和２）年製造、1938（昭和13）年に荷物室を設けナハニ105とされた（後にナハフに戻る）。1959（昭和34）年より常総線へ転じ、1964（昭和39）年まで車籍が存在した。
1962.7　水海道　P：田尻弘行

●戦後の増備と客車廃車まで

1937（昭和12）年６月15日よりガソリンカーの運転が始まり、混合列車の乗客が減少すると1937～38年に２軸客車（緩急荷物車を含む）16両が廃車、ボギー客車６両が他社に転じた。その結果、1939（昭和14）年度末の客車は、ナハフ103・104、ナハニ105、フハ１・２、ユニ３の６両であった。

フハ１と２は1943（昭和18）年４月に応急的に改造されてハフ１と２に。ユニ３は1943年にハフ３に改造され、その６両で常総筑波鉄道筑波線になり、戦後の混乱期を迎えた。

ナハフ103・104、ナハニ105は1941（昭和16）年に三信工業による更新修善を受け、戦時中の燃料欠乏期には大活躍した。内燃動車が主力になると1959（昭和34）年５月に常総線に転じ、1964（昭和39）年に常総線で廃車となった。その時にナハニ105はナハフに戻っていた。

ハフ１・３は1955（昭和30）年５月に廃車、ハフ２は緩急車代用として1965（昭和40）年３月まで現役車両であった。

ハフ74とハ75は、1949（昭和24）年５月10日車両譲受認可申請で相模鉄道のハフ50とハフ101を譲り受けた。ともに1926（大正15）年４月汽車会社東京支店製の神中鉄道の２軸客車で、相模ハフ50は神中フハ50が相鉄合併時の1943（昭和18）年４月に改番、相模ハフ101は神中ロ10が1928（昭和３）年にロハ10、1931（昭和６）年にハフ101、1943年４月の相鉄合併後も改番は無かった。

常総筑波鉄道筑波線ではハ75はハンドブレーキがなかった。当線での使用は８年程度で、1957（昭和32）年に日立製作所水戸工場へ譲渡されハフ74とハ75の番号のまま（のちに６と７に改番）勝田駅から工場までの通勤輸送に使用されたが、1959（昭和34）年に廃車となった。私鉄統計年報によると客車の在籍車両数は1958（昭和33）年度末が９両、1959年度末が２両なので、除籍は1959年だと思われる。

ホハフ201と202は、1940（昭和15）年１月木南車輛製作所製の南武鉄道クハ213・214として誕生し、1944（昭和19）年４月に国有化、1948（昭和23）年に国鉄廃車後、1948年３月10日申請・６月14日認可で「認可の日から３箇月」として常総筑波鉄道が借り入れ、1950（昭和25）年10月に譲り受けてホハフ201・202とした。全長15.5mの３扉車で、南海鐵道から譲り受けたブリル27GE-1台車を履いていた。隅田川用品庫扱いでの売買契約日は1950年10月５日であったが、借入時から返却することなく使用を続けていたと思われる。1953（昭和28）年９月に日野DA54を取り付けキハ40084・40085（キハ83・84の可能性有）とした。

ホハフ201（二代目）は、1935（昭和10）年10月日本車輌東京支店製の北海道鉄道キハ502として誕生し、1943（昭和18）年８月の国有化でキハ40352となったが1943年10月に鉄道省廃車。1948（昭和23）年5月に弘南鉄道が購入してホハ２、1954（昭和29）年8月16日譲受認可申請で1954年12月に常総筑波鉄道筑波線ホハフ201となった。客車としては最後まで車籍が残り1972（昭和47）年５月８日に廃車となった。最後まで流線型のスタイルを留めていた。

ハフ106は、常総線オハ802が1952（昭和27）年12月

北海道鉄道で1935(昭和10)年に新製、鉄道省・弘南鉄道を経て1954(昭和29)年に筑波線に入線したホハフ201(二代目)。戦前製ガソリンカーで普及した流線形スタイルを留めていた。
1970.9.15　真鍋
P：藤本哲男

に転じ、筑波線流のナンバーに改番した車両。常総線オハ800形は801～803の3両が在籍したが、3両とも被災国電サハ36形の復旧車両で、旧番号は特定できない。オハ802は日国工業で復旧し1949(昭和24)年4月に竣工した。高砂雍郎『被災省電の処理について』によるとサハ36018が種車で、車体中央の扉を埋めて2扉とし、妻面寄りの扉を窓1個分両側にずらしてステップ付とし、妻面を切妻とした。筑波線では6年ほど活躍し、1959(昭和34)年9月に常総線に転じオハフ802となり、1963(昭和38)年9月に秩父セメントに譲渡された。

ホハブ502は、常総線から1956(昭和31)年3月に転じて改番することなく使用を開始した。常総鉄道は筑波鉄道と同じく中古の四輪単車を使用してきたが1925(大正14)年5月に汽車会社でホロハ401、ホハブ501・502を新造した。戦時下の燃料欠乏期は大活躍し、内燃動車が増備されて主力になると余裕が出来て1両が筑波線入りした。筑波線でも活躍の場が狭まると常総線に戻り(1959年と思われる)、1964(昭和39)年3月に廃車となった。

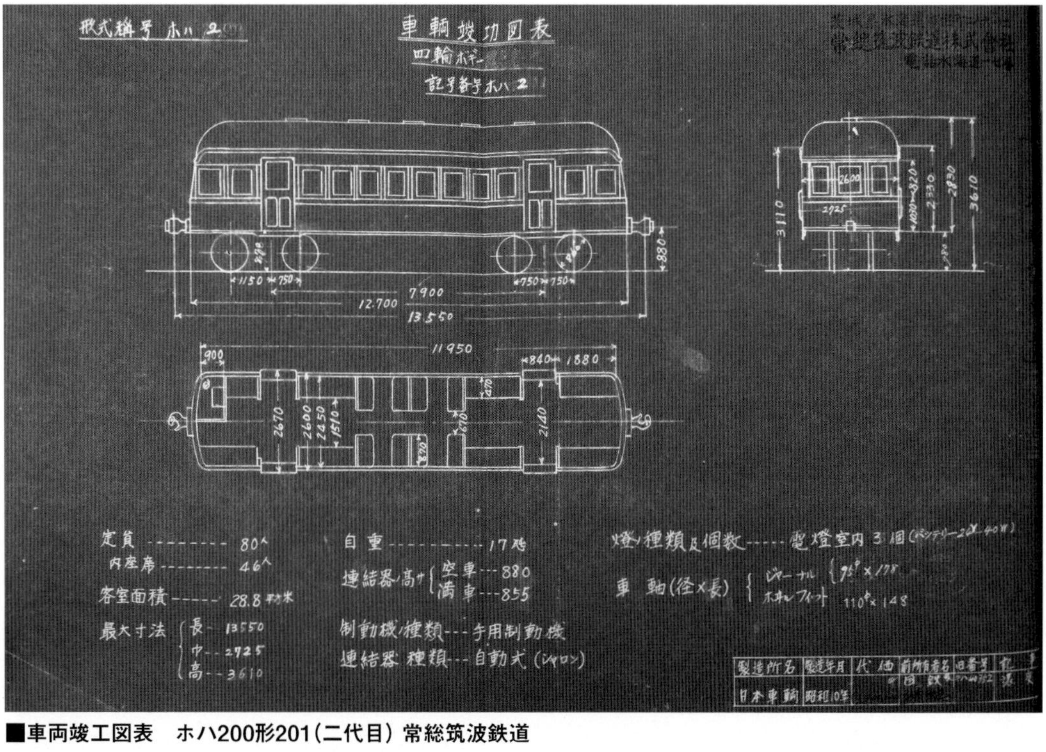

■車両竣工図表　ホハ200形201(二代目) 常総筑波鉄道

（5）貨車

筑波鉄道→常総筑波鉄道筑波線→関東鉄道筑波線→筑波鉄道（二代）を通じた69年間に在籍した貨車は、有蓋貨車12両・無蓋貨車55両の合計67両であった。

開業時の貨車は８t積無蓋貨車ト１～10の10両で、有蓋貨車は０であった。1920（大正９）年５月８日貨車購入認可申請で10t積無蓋貨車ト20～34、８t積有蓋貨車ワ20～24を新造し、1922（大正11）年３月20日貨物緩急車使用認可申請で鉄道省から４両の緩急車を譲り受けた。

さらに1922年４月10日貨車購入認可申請で15t積無蓋貨車ト40～59の20両が日本車輌で新造された。この増備は、山元～樺穂駅間の樺穂興業のトロッコ軌道が1923（大正12）年８月に開業することを見越していたと思われる。これで有蓋貨車は９両（緩急車を含む）、無蓋貨車は45両となり、緩急車は1927（昭和２）年に２両が一畑電気鉄道に転じた。

開業時の貨車は空気制動官を取り付けていなかったが、鉄道省からの通達があり鉄道省錦糸町工場で空気制動官の取付工事がなされ、1927（昭和２）年３月28日までにト１～10、ト20～34、ト40～59、ワ20～24の全50両が竣工した。1928（昭和３）年11月15日届出で形式変更がなされた（下表参照）。

■貨車の形式変更表　1928（昭和３）年11月15日届出

旧			新			記事
形式	記号	番号	形式	記号	番号	
1	ト	1～10	ト1	ト	1～10	
20	ト	20～34	ト20	ト	20～34	
40	ト	40～59	トム40	トム	40～59	
20	ワ	20～24	ワ20	ワ	20～24	
1	フワ	1・2	ワブ1	ワブ	1・2	非直通車

1928年11月15日の形式変更後、1929年３月に緩急車１両が広瀬鉄道に転じ、無蓋貨車は1941（昭和16）年に15t積トム40形から６両が廃車に。こうして有蓋貨車５両・有蓋緩急車１両・無蓋貨車39両が常総筑波鉄道筑波線の車両となった。

常総筑波鉄道では旧常総鉄道車と旧筑波鉄道車で車番が重なる事態となったことから1950（昭和25）年７月２日届出で旧筑波鉄道貨車の車番に無蓋貨車と有蓋緩急貨車は100、有蓋貨車は200をプラスした車番となった（下表参照）。

■常総筑波鉄道合併による旧筑波鉄道貨車の形式変更　1950（昭和25）年７月２日届出

旧		新		自重
型式	番号	型式	番号	
ト1	1	ト101	101	5.28
	2		102	5.28
	3		103	5.40
	4		104	5.50
	5		105	5.50
	6		106	5.50
	7		107	5.28
	8		108	5.60
	9		109	5.30
	10		110	5.25

旧		新		自重
型式	番号	型式	番号	
ト20	20	ト120	120	5.55
	21		121	5.55
	22		122	5.55
	23		123	5.55
	24		124	5.55
	25		125	5.60
	26		126	5.55
	27		127	5.85
	28		128	5.55
	29		129	5.55
	30		130	0.09
	31		131	5.55
	32		132	5.57
	33		133	5.50
	34		134	5.55

旧		新		自重
型式	番号	型式	番号	
トム40	40	トム140	140	6.57
	42		142	6.57
	43		143	6.57
	44		144	6.57
	45		145	6.57
	47		147	6.57
	49		149	6.57
	50		150	6.57
	51		151	6.57
	52		152	6.57
	55		155	6.57
	56		156	6.57
	57		157	6.57
	59		159	6.57

旧		新		自重
型式	番号	型式	番号	
ワフ1	1	ワフ101	101	5.55
ワフ20	20	ワ200	220	5.94
	21		221	5.94
	22		222	5.94
	23		223	5.94
	24		224	5.94

■貨車一覧表（1964年度末当時と思われる）

出典：『私鉄車両めぐり 常総筑波鉄道』

	形式	番号	両数	製造年	製造所
常総線	トム19形	19～23、27～30 33～48	25両	大12.9	日本車輌
	トム49形	49～68	20両	大13.12	汽車支店
	トム69形	69～88	20両	大15.4	汽車支店
	トム89形	89～95	7両	昭17.7	木南車両
	トム96形	96	1両	大15.4	日本車輌
	トム140形	143・149・151	3両	大12.5	日本車輌
	トフ3形	3・5・6	3両	大15.4	日車支店
	ワ101形	101～111	11両	大7.7	天野・日車 大日本軌道
	ワフ103形	103～105	3両	大2 大13.11	大日本軌道 汽車会社

	形式	番号	両数	製造年	製造所
常総線	ワフ106形	106	1両	大9.7	自社工場
	スム1000形	1001～1005	5両	昭38.3	日車支店
	合計		99両		
筑波線	ト120形	129～134	6両	大2	日本車輌
	トム140形	140・142・144・147	4両	大11.5	日本車輌
		150・152・155～158	6両		
	ワフ１形	1	1両	明24	オールドベリー
	ワ220形	220～224	5両	大9.6	日本車輌
	ワ101形	242	1両	大2	大日本軌道
	チ１形	1・2	2両	大9.5	日本車輌
	ワフ106形	107	1両	不明	不明
	合計		26両		

有蓋貨車

●ワ20～24

1920(大正9)年5月8日に貨車購入認可申請がなされ、有蓋貨車ワ20～24の5両が日本車輌で新造されて1920年6月9日に竣工した。自重5.85t、10t積。

1950(昭和25)年7月2日届出の改番でワ220～224となって、1966(昭和41)年4月25日に廃車となった。

●ワフ1～4

1922(大正11)年3月20日貨物緩急車使用認可申請で鉄道省から4両の緩急車を譲り受けた。いずれも1891(明治24)年英国オールドベリー製の古典貨車であった。

■鉄道省より譲受の緩急車番号対比表

番号	前所有者・番号	荷重	自重
ワフ1	鉄道省ワフ3098	8t	4.76t
ワフ2	鉄道省ワフ3099	8t	4.96t
ワフ3	鉄道省ワフ3103	8t	4.98t
ワフ4	鉄道省ワフ3104	8t	4.84t

これら4両については1922(大正11)年6月30日届出で室内灯を油燈から蓄電池式電燈を増設して油燈と混用するようにした。1927(昭和2)年7月7日車両譲渡認可申請でワフ1と3の2両を一畑電気鉄道に譲渡。1928(昭和3)年11月15日届出の形式変更表にワブ1と2が記載されていて、ワフ1と3が一畑に転じた時点でワフ2と4がワフ1(二代目)とワフ2(二代目)に改番されたと推察される(ワフ4がワフ1(二代目)に改番の可能性も有)。1929(昭和4)年3月2日認可でワフ2(二代目)が広瀬鉄道に売却され、ワフ1(二代目)のみが生き続けた。

ワフ1(二代目)は、1950(昭和25)年7月2日届出の形式変更でワフ101となり、貨車一覧表(1964年度末当時と思われる)では製造年と製造所からその後にワフ1(三代目)となっていたことが推察できる。保育社『関東鉄道』の廃止車両一覧表(1965年6月以降)に車番の記載がないこと、また統計年報の有蓋貨車1963(昭和38)年度末9両が1964(昭和39)年度末8両になっていることから、1964年度に廃車となったと思われる。

●ワ101形242　ワフ106形106・107

1964(昭和39)年度末当時と思われる貨車一覧に記載があるワ101形242は1913(大正2)年大日本軌道製、ワフ106形107は製造年・製造所とも不明とあるが、常総線ワフ106形106が1920(大正9)年7月自社工場とあるので、いずれも戦後に常総線から転じた(ワフ106はかなり遅れて)と推察できる。

統計年報の有蓋貨車数は1950(昭和25)年度6両、1951年度7両。有蓋貨車7両は1962年度末まで続き、1963年度末9両、1964・1965年度末8両。これらのことからワフ107が1951年度、ワ242が1963年度、ワフ106が1965年度頃に転じたと推察する(統計年報の在籍車両数に1～2年のずれはあるが)。ワ242は1966年4月25日に廃車。ワフ106と107は1972年5月8日に廃車となった。

1920(大正9)年頃に常総線向けに新製されたと思われる木造有蓋緩急車ワフ107。戦後に筑波線に転じ、廃車は1972(昭和47)年であった。　1971.4.7　真鍋　P：荻原二郎

無蓋貨車

●ト1～10

1917(大正6)年12月5日に三枚側無蓋貨車使用認可申請がなされ、1917年12月21日認可で無蓋貨車ト1～10が日本車輌で新造された。当初は8t積であったが、1921(大正10)年12月16日貨物積載噸数変更認可申請で10t積に変更された。

1928(昭和3)年1月31日設計変更認可申請で、1925(大正14)年10月1日の自動連結器取付により積載を8tに減じていたものを10tに戻すという文章が公文書館に残るが、統計上は10tのままで、8tに減じていた形跡は見つからない。

1950(昭和25)年7月2日届出の改番でト101～110となった。

●ト20～34

1920(大正9)年5月8日に貨車購入認可申請がなされた無蓋貨車ト20～34の15両が日本車輌で新造され、1920(大正9)年6月3日に竣工した。自重5.05t、10t積。1950(昭和25)年7月2日届出の改番でト120～134となった。

●ト40～59

1922(大正11)年4月10日に貨車購入認可申請がなされ、4月19日認可で15t積無蓋貨車(自重7t)ト40～59の20両が日本車輌で新造され、6月1日に竣工した。

木造無蓋車トラ104・105。1957(昭和32)年に秩父鉄道用として登場、1976(昭和51)年に２両ともに筑波線に転じた。除籍は1987年の廃線時。　1987.2.21　真鍋　P：荻原俊夫

1928(昭和３)年11月15日届出の形式変更でトム40～59に変更がなされた。1941(昭和16)年にトム41・46・48・53・54・58の６両が廃車になって14両の世帯となった。他の無蓋車の形式よりも先に、比較的車齢が若く、大型の当形式から廃車が出た理由はよくわからない。

1950(昭和25)年７月２日届出の改番でト140～159(141・146・148・153・154・158は欠番)となった。ただし158は1968年11月15日に廃車となった記録があるので、廃車の後に159を158(二代目)に改番したのか、1941年時点での廃車が58ではなく59であったのかはわからない。

■1952年度から1964年度の動き

鉄道統計年報で1952年度の無蓋貨車は39両。これはト100形10両、ト120形15両、トム140形14両で間違いない。その後の動きを鉄道統計年報から類推すると以下のようになる。

1953年度は常総筑波鉄道合算のため線別の内訳は不明。1954年度は28両。1955年度０は明らかに誤数値で、1956年度は常総筑波鉄道合算で線別の内訳は不明、1957年度と1958年度は25両、1959～1962年度は24両、そして1963年度は18両、1964年度は8両。

これに『私鉄車両めぐり』の1964年度末当時と思われる貨車一覧表と保育社『関東鉄道』の廃止車両一覧表(1965年６月以降)から以下の類推ができる。

1952年度末の39両が1954年度末28両まで11両減少。車番の若い順に廃車になったとすると、ト100形の全車10両とト120が廃車。

1954年度末28両が1957年度末25両まで３両減少。鉄道統計年報では1954年度末常総線無蓋貨車が99両、1957年度末が102両で、筑波線で３両減少・常総線で3両増加から、これをトム143・149・151の異動と類推。1958年度末25両が1959年度末24両で、１両減少。これをトム145の廃車と類推した。

1962年度末24両が1963年度末18両で、６両減少。車番の若い順に廃車になったとすると、ト120形から６両なのだが、チ１・２の存在を考慮すると、８両が廃車(ト121～128)と類推した。チ１・２は1920年５月日本車輌製とあるので、ト120形からの改造であると考察した。

1963年度末18両が1964年度末８両で、10両減少、車番の若い順に廃車になったとするとト129～134の6両が廃車、トム140・142・144・147が常総線に転じたと類推する。

巻末の車両履歴一覧表では1952～1954年度の減少は1954年度、1954～1957年度の減少は1956年度の異動と記している。ただ番号の若い順から廃車というのに根拠はなく、こう類推したら統計上の在籍両数と一致した、というレベルの記述でしかない。

●トム69～75(73は欠番)

筑波鉄道・筑波線在来の無蓋貨車は1968(昭和43)年11月15日にすべてが廃車となったが、その後常総線から６両が転じた。トム69・70・72は1970(昭和45)年８月31日廃車、残る３両も1976(昭和51)年７月22日に廃車となった。

●トラ100形104・105

1957(昭和32)年７月日本車両製で秩父鉄道の木造無蓋貨車トラ3500形として誕生し、1976(昭和51)年６月３日付けで７両が関東鉄道入りして101～103は常総線、104・105が筑波線、106・107が鉾田線配属となった。筑波線の貨物営業は1981(昭和56)年８月12日に廃止されたが、２両の車籍は廃線時まで残っていた。

■筑波線 廃止貨車一覧(1965年６月以降)

形式	記号番号	廃車日
ワ101	ワ242＊1	1966.4.25
ワ220	ワ220	1966.4.25
	ワ221	1966.4.25
	ワ222	1966.4.25
	ワ223	1966.4.25
	ワ224	1966.4.25
ワフ106	ワフ106	1972.5.8
	ワフ107	1972.5.8
トム140	トム150	1966.4.25
	トム152	1966.4.25
	トム155	1968.11.15
	トム156	1968.11.15
	トム157	1968.11.15
	トム158	1968.11.15
トラ100	トラ104	1987.4.1
	トラ105	1987.4.1

形式	記号番号	廃車日
チ１	チ１	1968.11.15
	チ２	1968.11.15
トム69	トム69	1970.8.31
	トム70	1970.8.31
	トム71	1976.7.22
	トム72	1970.8.31
	トム74	1976.7.22
	トム75	1976.7.22
筑波線→常総線転属車		
トム140	トム140	1966.4.25
	トム142	1966.4.25
	トム143	1966.4.25
	トム144	1966.4.25
	トム147	1966.4.25
	トム149	1966.4.25
	トム151	1966.4.25

＊1：1913.9 大日本軌道製　　出典：『私鉄の車両(8)関東鉄道』(保育社)

■車両履歴一覧表

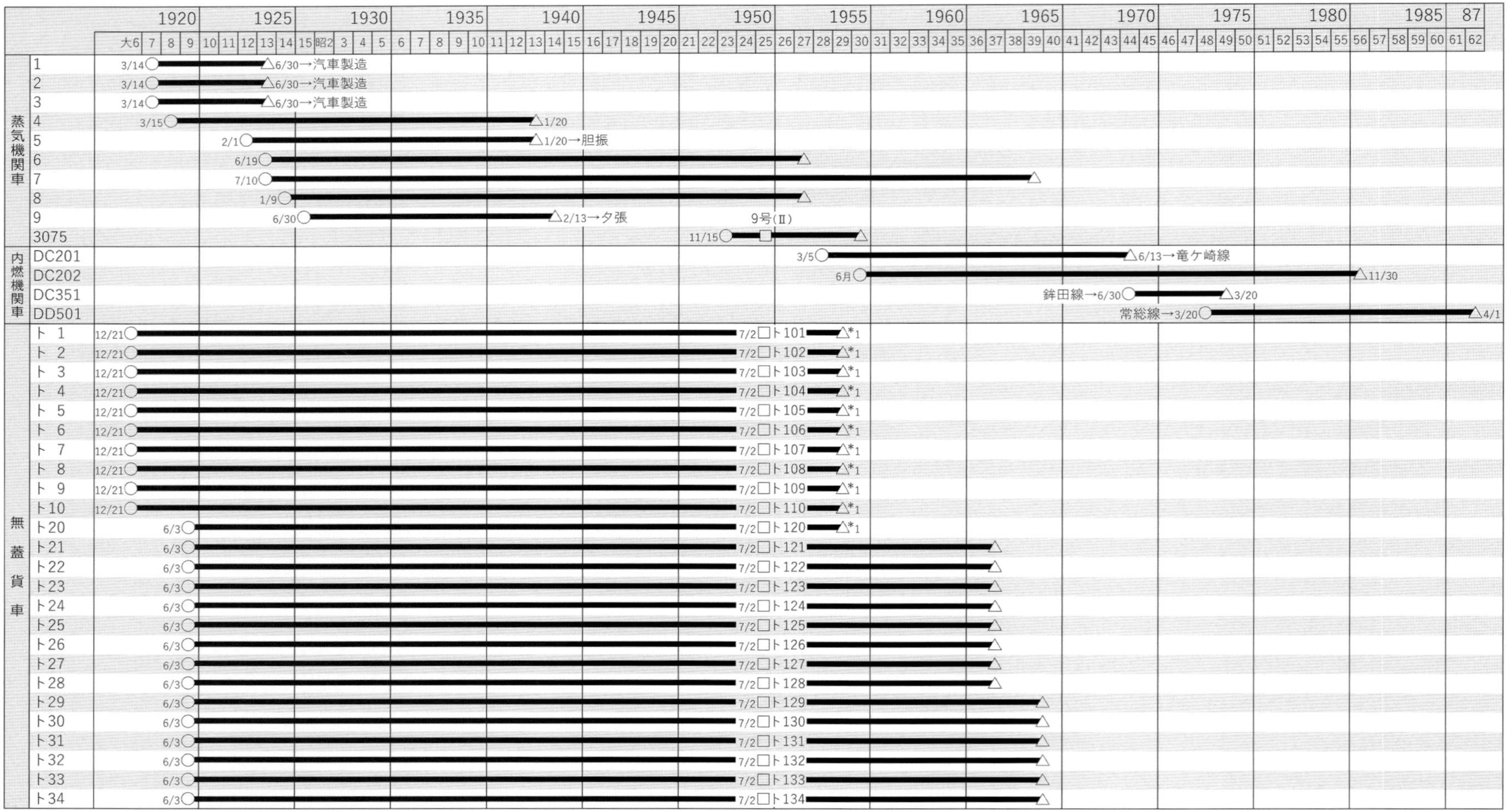

*1　1952～1954年の間

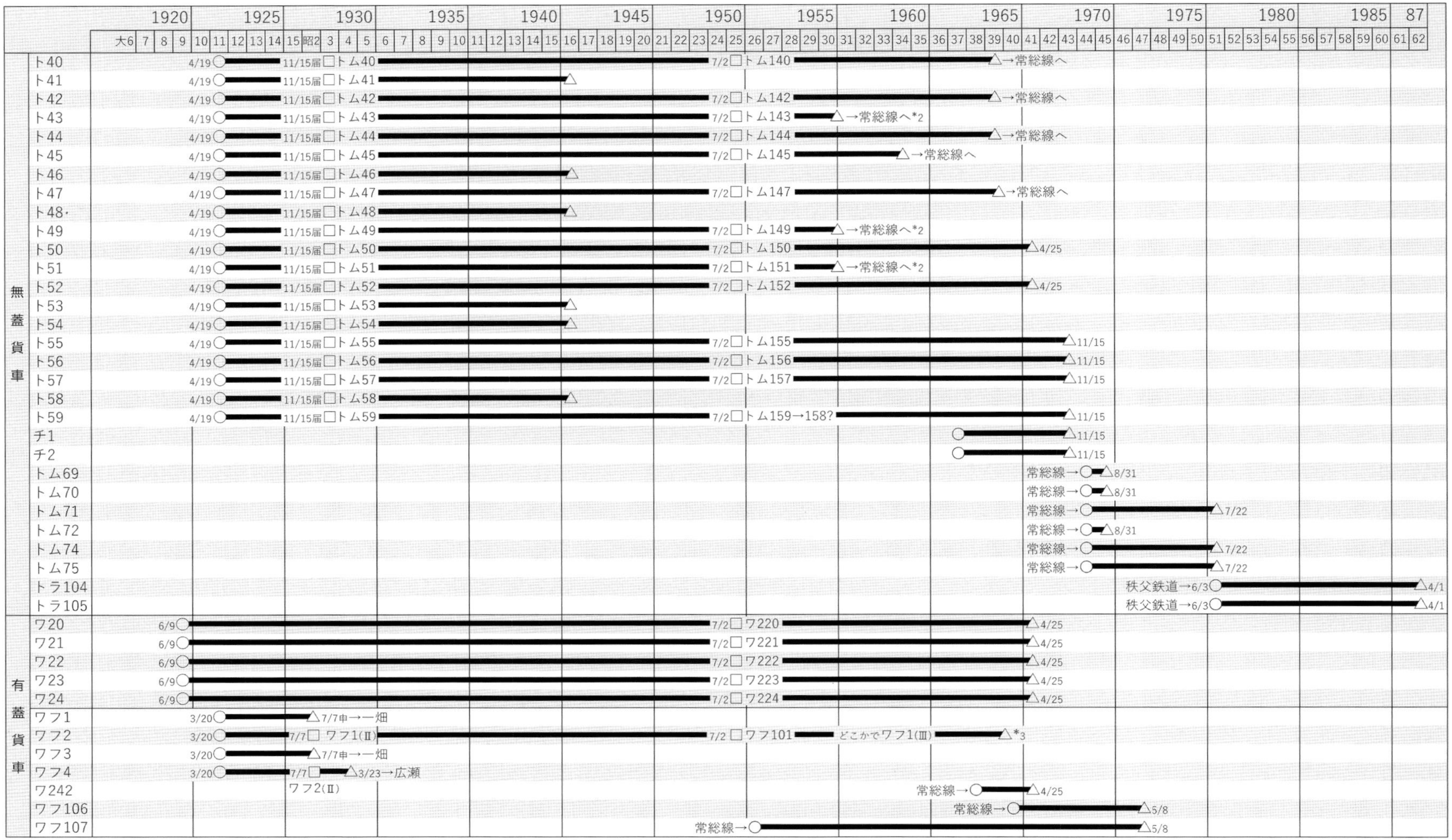

*2 1954～1957年度の間　*3 1964～1965年の間

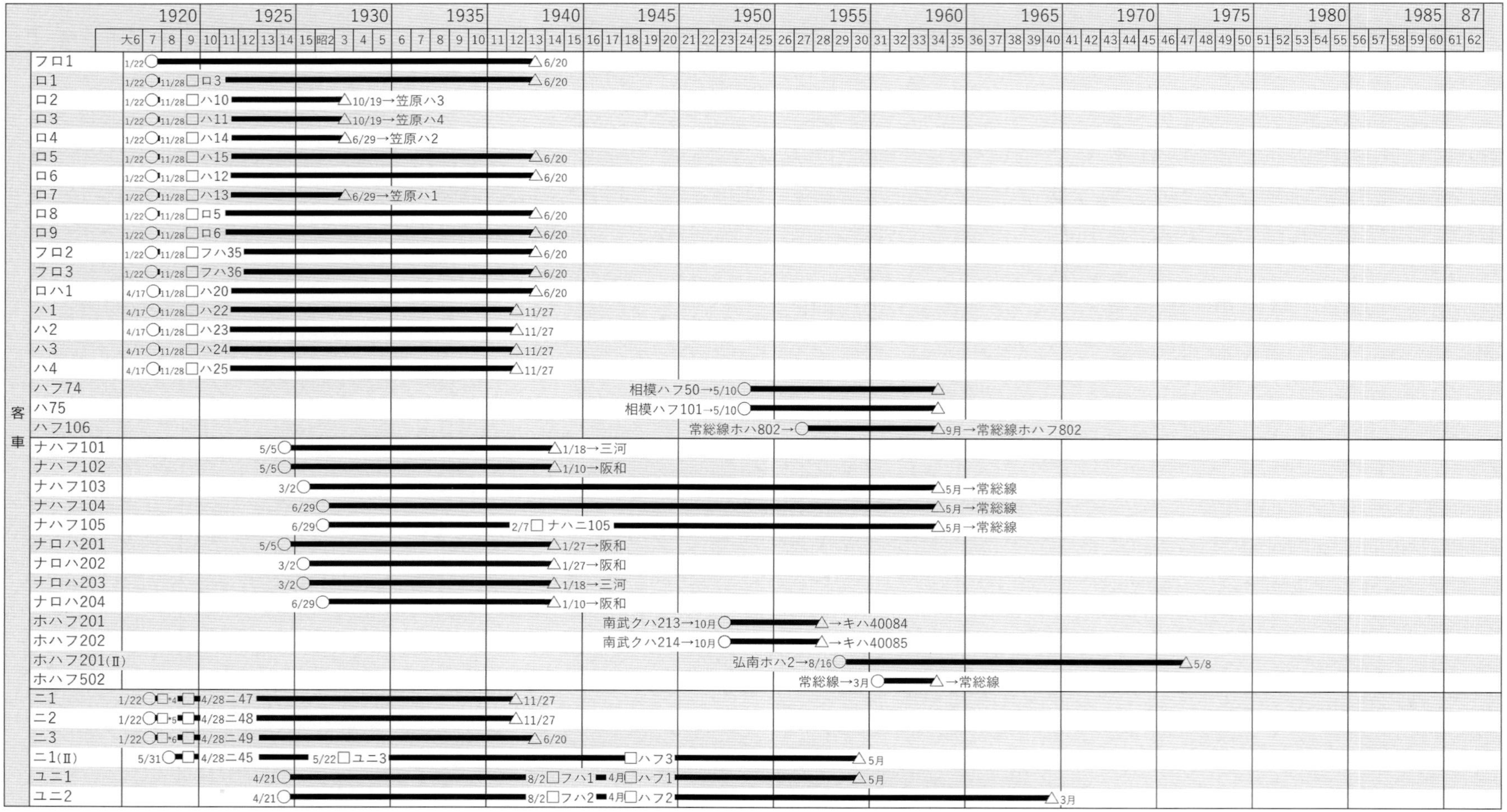

*4 : 5/31ニ1→ニ2(Ⅱ)　*5 : 5/31ニ2→ニ3(Ⅱ)　*6 : 5/31ニ3→ニ4

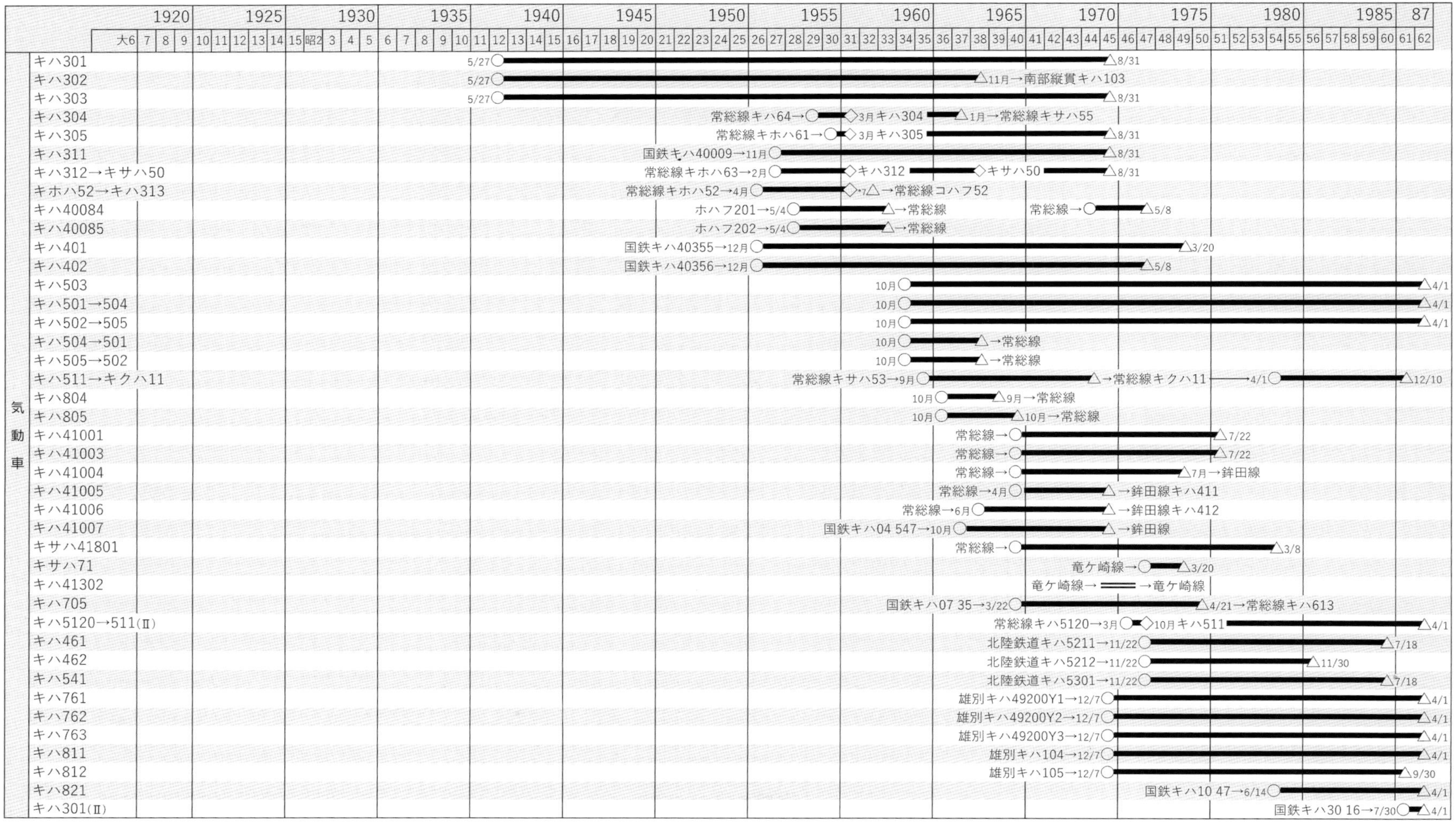

*7：1956年2月→キハ313

おわりに

大学生活での４年間以外は姫路あるいは大阪府、京都府を生活の基盤とする自身が、筑波鉄道と向き合うことは、正直なところ躊躇いがあった。最初に訪問したのが大学に入ってから、かつ筑波鉄道分離独立後の1979（昭和54）年11月。その後も訪れた日数は限られていて、営業最終日とその前にも訪問していない。

ただ、1981（昭和56）年に訪れた時、筑波駅の構内で部品即売会のようなイベントを行っていて、その時に購入した車両竣工図表は今回の出版に結構役立った。諸先輩による鉄道ピクトリアルの『私鉄車両めぐり』は昭和30～40年代の私鉄の貴重な資料であるが、貨車に関しては、車番の記載にとどめるである場合が多く、こと常総筑波鉄道に関しても残念ながらその通りであった。例のごとく国立公文書館に出向き、概要は掴むことが出来た。筑波鉄道であった頃は独立した会社であることから記録に残っていることが多いが、常総筑波鉄道、そして関東鉄道になると線区間の異動は社内異動になってしまい、記録には残っておらず、鉄道趣味誌等の記述に負うところが大きい。

そんななか、車両の動きの概要は捉えることが出来たと自負している。心残りであるのは貨車で、関東鉄道株式会社にも問い合わせたが、記録は残っていない、とのことであった。また、諸先輩・友人には数々のご教示と写真の提供を賜り、感謝の念に堪えない。厚く御礼申し上げます。

後世から振り返るとどう見えるかはわからないが、2020～2021年の新型コロナウイルスの感染拡大は世の中に大きな影響を与えた。国立公文書館も閲覧ができない日が多く、本書の進行に少なからず影響を与えた。

筑波鉄道の廃線跡は早くに自転車道として整備され、ホームの多くが姿を留める。これから数十年が経過した時にその姿がどうなっているのか、そして筑波鉄道がどういった鉄道であったのか、本書がその語り部となることを祈念してあとがきと致します。

写真提供・ご協力
荻原二郎、荻原俊夫、風間克美、関東鉄道株式会社
白土貞夫、高井薫平、田尻弘行、寺下雅一、西村雅幸
藤本哲男、宮田寛之、元木史昭、山本高英
（敬称略　順不同）

●参考文献
『関東鉄道株式会社七十年史』（1981年　関東鉄道）
『私鉄の車両8　関東鉄道・筑波鉄道・鹿島鉄道』（飯島　厳・森本富夫・諸河　久／1985年　保育社）
『昭和30年代～ 50年代の地方鉄道を歩く 関東鉄道』（高井薫平／ 2020年　フォト・パブリッシング）
『私鉄車両めぐり 常総筑波鉄道』臼井茂信・小石川多助・中川浩一（『私鉄車両めぐり特輯第㊤輯』に収録　1982年　鉄道図書刊行会）
『写真集陸蒸気三十年』（野島富三郎・安達克／ 1969年　西山鉄道研究会）
『キハ41000とその一族（上・下）』岡田誠一（RMライブラリー1・2／ 1999年　ネコパブリッシング）
『キハ07ものがたり（上・下）』岡田誠一（RMライブラリー 35・36 ／ 2002年　ネコパブリッシング）
『内燃動車発達史』湯口　徹（2004年　ネコパブリッシング）
『レイルNo19私鉄紀行 からっ風にタイホーンが聴える』湯口　徹（1986年　プレスアイゼンバーン）
『東濃鉄道』清水 武（RMライブラリー 72 ／ 2005年　ネコパブリッシング）
『戦後生まれの機械式気動車』湯口　徹（RMライブラリー 87 ／ 2006年　ネコパブリッシング）
『関東地方のローカル私鉄現況』4「筑波鉄道」 私鉄倶楽部（鉄道ピクトリアル418 ／ 1983年　鉄道図書刊行会）
『消えた鉄路へのレクイエム』伊藤博康・服部重敬・山本高英（1999年　トンボ出版）
『歴史でめぐる鉄道全路線　公営鉄道・私鉄』 No.21（2011年　朝日新聞出版）
『私鉄全線全駅』（1979年　主婦の友社）
『機関車表フル・コンプリート版DVDブック』沖田祐作（ネコパブリッシング）
『新車年鑑』各年度版（鉄道図書刊行会）
『日本鉄道旅行地図帳』3号（2011年　新潮社）

東飯田駅に入線する岩瀬方面行列車（キハ760形）。
1986.2　P：山本高英

既 刊

第211巻：可部線　波乱の軌跡
第212巻：紀州鉱山専用軌道―その最後の日々―
第213巻：国鉄DD13形ディーゼル機関車（上）
第214巻：国鉄DD13形ディーゼル機関車（中）
第215巻：国鉄DD13形ディーゼル機関車（下）
第216巻：特急「白鳥」―運転史で振り返る55年の軌跡―
第217巻：栗原電鉄（上）
第218巻：栗原電鉄（下）
第219巻：加越能鉄道加越線―庄川水力電気専用鉄道―
第220巻：特ロのすべて―特別2等車の誕生と盛衰―
第221巻：控車のすべて
第222巻：三江線 88年の軌跡
第223巻：1950年代の戦前型国電（上）
第224巻：1950年代の戦前型国電（中）
第225巻：1950年代の戦前型国電（下）
第226巻：南武鉄道モハ100形 15輌のはなし
第227巻：養老線電車回顧
第228巻：国鉄救援車図鑑（上）―鋼製客車の個性派車輌―
第229巻：国鉄救援車図鑑（下）―鋼製客車の個性派車輌―
第230巻：北陸鉄道能美線
第231巻：北陸鉄道金名線
第232巻：黄帯を巻いた貨車
第233巻：流鉄（上）―5.7キロを走り続ける流山の鉄道―
第234巻：流鉄（下）―5.7キロを走り続ける流山の鉄道―
第235巻：帝都電鉄（上）
第236巻：帝都電鉄（下）
第237巻：白帯を巻いた貨車
第238巻：私鉄買収国電 ―その変転と終焉―
第239巻：京急230形（上）―登場から戦後復興期まで―
第240巻：京急230形（中）―復興期と発展を支えた小型車―
第241巻：京急230形（下）―小型車の終焉―
第242巻：北陸鉄道小松線
第243巻：京王6000系 ―編成の推移を追って―
第244巻：無蓋車の本（上） ―国鉄制式無蓋車の系譜―
第245巻：無蓋車の本（下） ―国鉄制式無蓋車の系譜―
第246巻：1950年代 関西私鉄散歩
第247巻：下津井電鉄（上） ―瀬戸大橋開通後に姿を消したナローゲージ鉄道―
第248巻：下津井電鉄（下） ―瀬戸大橋開通後に姿を消したナローゲージ鉄道―
第249巻：横須賀線 70系時代 （上）
第250巻：横須賀線 70系時代 （下）
第251巻：江若鉄道 （上） ―琵琶湖西岸の気動車大国―
第252巻：江若鉄道 （下） ―琵琶湖西岸の気動車大国―
第253巻：夕張線 ―石炭とともに歩んだ126年の軌跡―
第254巻：豊橋鉄道田口線 ―田口鉄道の残影―
第255巻：筑波鉄道 （上） ―三度の社名変更を経たローカル私鉄―

第130巻まで：本体価格1000円（税別）
第50・100・101巻のみ本体価格2000円（税別）
第131～176巻：本体価格1200円（税別）
第177巻以降各巻：本体価格1250円（税別）
第150巻のみ本体価格2381円（税別）
第200・201巻のみ本体価格2500円（税別）

The Tsukuba Railway Vol.2

by Hirokazu Terada

During the war, The Tsukuba Railway, connected between Tsuchiura and Iwase, had changed their name to "Jousou Tsukuba Railways Tsukuba Line" because of the consolidation with the Jousou Railway. In June 1965, they were merged into the Kashima Sanguu Railway of the Keisei group, and a name of the line had been changed to "Kantou Railway Tsukuba Line" again. However, the Tsukuba Line was separated from the Kantou Railway along with the Hokota Line in April 1979. A new company "Tsukuba Railway, the second" taken over operation of the Tsukuba Line.

Throughout their about 70 years history, the Tsukuba Railway changed their name 3 times from the beginning operation in April 1918 to the end of operation in March 1987.

At present, traces of the discontinued line were turned into bicycle path. Some platforms which would remind us of those days remain.

■『筑波鉄道』上巻の訂正
47頁　1968年度末 無蓋貨車の両数
0（誤記と思われる）→0
以上、訂正してお詫び申し上げます。

RM LIBRARY 256

筑波鉄道（下）―三度の社名変更を経たローカル私鉄―

2021年10月1日初版発行

著　者：寺《てら》田《だ》裕一《ひろかず》
編集人：大渕俊輔
発行人：西田　宏

発行所：カルチュア・エンタテインメント株式会社
ネコ・パブリッシング カンパニー
〒141-8201　東京都品川区上大崎3丁目1番1号
目黒セントラルスクエア
電話04-2944-4071（カスタマーセンター）
FAX04-2944-4072（カスタマーセンター）
電話03-5745-7813（編集部）
URL　https://www.neko.co.jp/
印刷所：大日本印刷株式会社
ISBN978-4-7770-5480-0

編集進行：水野宏史
表紙装丁：清水幹夫

●お近くの書店でのお取り寄せも可能です。お近くに書店がない場合のご注文は、カスタマーセンターへ
04-2944-4071

ISBN978-4-7770-5480-0　C0065 ¥1250E

Printed in Japan

9784777054800

定価：本体1250円＋税

1920065012505

RM LIBRARY 256

カルチュア・エンタテインメント株式会社
ネコ・パブリッシング カンパニー